LA CONCIERGE
DU PANTHÉON

JACQUES GODBOUT

LA CONCIERGE
DU PANTHÉON

roman

ÉDITIONS DU SEUIL
27, rue Jacob, Paris VIᵉ

© Éditions du Seuil, septembre 2006

ISBN 2-02-088516-6

www.seuil.com

À Jean Cayrol, je me souviens.

Il n'a pas d'autre emploi en vue. Il n'a passé aucun entretien. Il veut sa liberté, c'est tout. Mais au moins il ne lâche pas : « Je quitte IBM pour devenir poète. »

J.M. COETZEE

Julien à Paris

Cela s'était passé ainsi : Julien Mackay devait postuler une nouvelle fonction au ministère de l'Environnement restructuré à la suite du protocole de Kyoto, ou remettre sa démission. Or la simple idée de devoir se présenter au bureau des ressources humaines et de se soumettre, sans égard pour son expérience ou pour son âge, à un concours plus ou moins honnête l'avait complètement dégoûté. Julien accepta plutôt une proposition de départ avec avantages pécuniaires. Il avait derrière la tête un projet qui ne requérait aucun diplôme, aucune spécialisation : écrire un roman. Qui pouvait l'en empêcher ?

Cet homme de quarante-huit ans, qui avait passé des jours à des calculs de probabilités, à prédire la force et la direction des vents, à tracer de savants graphiques de la pollution atmosphérique, se sentait l'âme d'un écrivain. Il allait se débarrasser du poids de la science pour endosser le manteau de l'imaginaire (la métaphore était de lui). Si Gauguin avait entrepris une carrière d'artiste peintre à peu près au même âge, après avoir longtemps vendu des obligations et des polices d'assurance à ses contemporains, il saurait, lui, apposer sa marque dans les lettres. Savait-on que Jean-Paul Sartre, à vingt-cinq ans, avait été affecté à la météo de l'armée ? Il n'avait donc pas à rougir de ses états de service. Qui n'avait eu, au moins une fois dans sa vie, l'irrésistible désir de tout planter là et d'aller voir ailleurs ?

Julien n'était pas homme à se lancer tête baissée dans une aventure sans issue. Comment séjourner à l'étranger sans épuiser ses économies ? Le projet d'un séjour à Paris (ce ne pouvait être que Paris) méritait une aide. Il s'adressa au Conseil des arts du Canada, dans la catégorie « premières œuvres », espérant obtenir une bourse.

Mackay, Julien, né le premier juillet 1958 à Richelieu, province de Québec. Actuellement sans emploi. Aucun texte publié à ce jour. Pourquoi sollicitez-vous une aide ? Pour la rédaction d'un roman. Précisez. Je désire raconter l'histoire d'un Canuck (c'est-à-dire un descendant de Canadiens français immigrés aux États-Unis pendant la fusariose du blé de la fin du XIXᵉ siècle). Gerry Drinkwater, dont le père se nommait Mark Boileau, m'intéresse à plus d'un titre. Il a étudié à Boston, mais au début de cette histoire il habite Montpelier, la capitale du Vermont. À son retour du Vietnam (où il a vaillamment combattu), Gerry Drinkwater, après un MBA aux frais du gouvernement fédéral, a fondé une entreprise de monuments funéraires, la Drinkwater Marble Co., qui utilise le granit de l'État de New York – solide comme l'éternité – et les pierres des carrières de Middlebury (Vermont) dont les teintes tendres conviennent aux paysages des cimetières. Pourquoi, en rentrant de Saigon, Gerry Drinkwater a-t-il abandonné le nom de ses ancêtres ?

Julien ajouta quelques observations puis décrivit l'itinéraire souhaité : cinq semaines de recherches en Nouvelle-Angleterre, cinq mois d'écriture en France. Il fit un effort sérieux d'évaluation des frais de séjour et dépenses afférentes qu'il inscrivit dans les cases appropriées du formulaire. Puis il attendit une réponse qui lui parvint quatre mois plus tard. Le jury du Conseil des arts refusait sa demande au motif qu'il n'avait pu fournir de références. Comment pouvait-on évaluer sa capacité de mener à bien ce projet ? Julien en convint, mais décida néanmoins de tenter l'aventure. Ce n'était que de l'argent après tout. En novembre il prit l'avion pour l'Europe, avec le titre de son roman en tête : *Alias Boileau*.

La concierge

Je suis arrivé à Roissy-Charles-de-Gaulle vers huit heures quinze, après avoir survolé une plaine recouverte du brouillard habituel de novembre. Des mouettes éperdues tournaient autour des ailes quand la lumière a crevé un nuage avant de disparaître à nouveau. On pouvait deviner la ville au loin, distinguer sous la carlingue des champs manucurés avec soin, le sol avait été hersé, en Amérique on en était encore aux labours. Le tarmac enfin, les roues qui s'arrachaient la peau, l'inversion des moteurs, l'avion s'est mis à rouler comme un autobus, j'ai détaché ma ceinture même si l'on ne nous y invitait pas encore. Je ne suis pourtant pas très désobéissant, mais plus de sept heures assis dans un cigare d'aluminium à lutter contre des vents contraires, c'est long et fastidieux, j'ai étiré les muscles de mes jambes. Mes chaussures avaient glissé sous le siège et je me suis tordu la colonne vertébrale à tenter de les récupérer. Il ne faut jamais voyager avec ses souliers. En cas d'amerrissage, si l'aéronef tombe en panne, on est ainsi plus à l'aise dans le canot pneumatique. En fait on n'est jamais trop prudent, c'est écrit dans les consignes. Et même si ce n'était pas écrit, je voyagerais en chaussettes, je me sens plus à l'aise ainsi. Je me lave les pieds tous les jours, autant en profiter.

À neuf heures, j'avais récupéré sur le tapis roulant mes deux valises, l'une contenant mes vêtements, l'autre ma documentation et des livres de référence, des romans dont je ne peux me défaire depuis que je me suis mis en tête d'en écrire un moi aussi. Ce sont des auteurs qui, sans le savoir, représentent mes plus proches amis. Vonnegut, Capote, Camus, et quelques autres.

J'ai emprunté un chariot et j'ai cherché le RER dont on m'avait dit qu'il se rendait de l'aéroport au cœur de la cité. Le train est toujours moins cher qu'un taxi, je n'ai plus d'employeur ni de notes de frais. Il n'y a pas de petites économies quand on caresse un projet comme le mien. J'ai un budget à respecter si je veux tenir assez longtemps.

J'ai dû abandonner le chariot en haut d'un escalier roulant qui lui-même roulait de travers, je me suis accroché, mes valises sont sur roulettes, bravo je me suis dit, tu as passé la première étape, le ticket était plus cher que prévu, mais ce n'était pas dramatique. C'est toujours ainsi en voyage, les bonnes surprises sont rares. Quand donc avais-je, la dernière fois, par les fenêtres du train, vu ces paysages mornes d'entrepôts couverts de graffitis à l'américaine ? Dix ans peut-être. C'était lors d'un congrès de météorologie, j'étais délégué par le Ministère, j'avais aussi été frappé par l'horrible architecture des immeubles de banlieue, rien n'avait changé, de nouveaux édifices s'étaient peut-être ajoutés, mais je somnolais à demi, les valises entre les jambes. Le wagon était aux trois quarts vide, pourtant le train s'arrêtait systématiquement à toutes les gares, personne ne montait ni ne descendait.

Peut-être avais-je eu tort, mais je n'avais réservé aucun hôtel, et n'avais prévenu personne de mon arrivée – qui prévenir quand on arrive de l'étranger ? La préfecture, l'ambassade, l'American Express, l'archevêché ? Je voyageais incognito, j'assumais ma solitude. C'est dans cet état comateux que j'ai élaboré mentalement un plan.

Je venais à Paris pour une métamorphose, une transmutation, j'avais laissé derrière moi ma vieille pelure, je croyais pouvoir m'adresser à mes confrères, un peu

comme un Martien qui, tout frais descendu de son astro-
nef, partirait à la recherche du chef des Terriens. Le chef
me reconnaîtrait, me fournirait tout ce dont je pouvais
avoir besoin pour mener à bien ma tâche et rentrer
quelques mois plus tard au pays, avec la satisfaction
du devoir accompli. Pourquoi pas ? J'avais trouvé dans
Le Magazine littéraire l'adresse de la Société des gens
de lettres : Hôtel de Massa, 38 rue du Faubourg-Saint-
Jacques. Sur le plan du métro, la station Port-Royal me
sembla la plus proche. C'est ainsi que je me suis retrouvé
un dimanche matin sur le trottoir désert du boulevard
Saint-Michel. La première question qui m'est passée par
le crâne n'avait aucun sens : est-ce que les noms des
places et des rues de Paris ont été piqués dans les livres
ou l'inverse ? C'est ce qui arrive quand on abuse de la littérature, me suis-je dit. J'aurais bien aimé prendre un
café, mais tout était fermé, même la célèbre Closerie
des lilas était close, les arbres nus comme les statues
équestres d'une fontaine tout à côté n'avaient rien de
réjouissant, au loin des joggeurs me tournaient le dos.

J'ai saisi mes valises avec énergie, celle de droite pesait
lourd, je n'aurais jamais dû apporter tous ces livres, surtout ici, me suis-je dit, mais quand on entreprend ce
genre d'aventure, comment savoir ? J'ai compté une
bonne vingtaine de minutes de marche jusqu'à l'adresse
de l'hôtel de Massa qui n'avait aucune enseigne et se

cachait derrière de hauts murs et une grille imposante. Sur le coup j'ai été déçu, ce n'était pas vraiment un hôtel, mais une sorte de vaste et riche résidence qui n'affichait ni prix, ni étoiles, ni réception. J'étais épuisé, nerveux, je transpirais dans mon manteau d'hiver malgré le temps frisquet, je m'étais habillé trop chaudement et puis ces valises! Je les ai déposées, l'une brune, l'autre bleue, achetées d'occasion, au pied de la grille. J'ai sonné, j'avais une sérieuse envie de dormir, et personne ne répondant j'aurais pu crier:

« Monsieur le président! Monsieur le président! Je suis épuisé, vous ne m'attendiez pas, mais me voilà! Je souhaite devenir membre de votre société, vous m'entendez? Monsieur le président, réveillez-vous! »

J'aurais ameuté le quartier, mais tous les Parisiens semblaient faire la grasse matinée.

C'est le jardinier qui est venu répondre, un gros homme souriant, en chemise bleue, pantalon de velours, espadrilles aux pieds, un balai de bruyère à la main, l'air étonné sous sa casquette noire.

« Bonjour, monsieur, m'a-t-il lancé en regardant mes valises, il n'y a personne que moi ici, vous devez vous tromper d'adresse! »

Les jardiniers, je le savais, ont un rôle important en littérature et la plupart d'entre eux n'en sont pas toujours conscients. Ils croient qu'arroser les fleurs, ratisser les allées ou baiser une lady dans un cabanon font partie de leurs responsabilités, point à la ligne. Alors j'ai tenté de m'expliquer, j'ai raconté au jardinier des gens de lettres que j'arrivais d'Amérique avec au cœur un projet immense, le rêve de toute une vie. Il a refusé de m'entendre, bien sûr il m'écoutait, mais était-ce mon accent ? Il n'allait pas ouvrir les grilles pour me faire plaisir. L'hôtel de Massa était, m'a-t-il expliqué, le centre administratif d'une association professionnelle, on y tenait des colloques et autres réunions, on y brassait les questions de droits d'auteur depuis Balzac (je ne devais pas oublier d'aller saluer, boulevard Raspail, la magnifique statue de Rodin). J'étais en somme devant la banque des écrivains. On ne plante pas sa tente en pareil lieu.

« Vous seriez un homme d'affaires, vous n'insisteriez pas pour loger à la Banque de France, vous iriez dans un hôtel de tourisme... »

Le brave homme soulevait sa casquette en parlant, se grattait le crâne, la remettait en place brusquement, il s'impatientait devant ma naïveté, les feuilles mortes s'accumulaient comme dans la chanson de Prévert, les plates-bandes, éventrées, l'attendaient. Je devais avoir l'air paniqué, avec raison, car j'avais raté mon entrée en littérature. Rideau. Personne dans cette grande capitale de l'écriture et du discours pour m'ouvrir les bras, me tendre la main, ni mentor, ni gourou, ni protecteur à l'horizon. Devant ma détresse, le jardinier a tenté une dernière proposition :

« Il y a ma sœur aînée, a-t-il dit, qui pourra peut-être vous aider, elle est sûrement chez elle, c'est dimanche, je vous donne son adresse, vous n'avez qu'à marcher jusque-là... »

Je suis reparti à pied, mes valises au bout des bras, je suais comme un boxeur dans mon long manteau de laine, les rues de ce quartier ne sont jamais à angle droit, je suis revenu dix fois sur mes pas, la majorité des édifices étaient gris et muets, d'autres affichaient des pierres couleur sable, les cafés étaient tous cachés derrière des grilles maculées, j'ai croisé quelques citoyens qui revenaient de la messe ou d'une boulangerie. J'étais excédé. À l'adresse donnée, en arrivant par la rue de l'Estrapade, j'ai trouvé une passerelle de métal menant à l'arrière d'un grand édifice, ce devait être une église, un crucifix trônait sur son dôme. La moitié du mur était cachée par des bâches, on n'arrête jamais de ravaler les pierres depuis que le ministre Malraux l'a demandé. Une lubie d'écrivain.

Une sonnette en cuivre brillait sur le chambranle. Je l'ai écrasée de toutes mes forces qui n'étaient déjà plus très vives. La sœur du jardinier des Lettres a ouvert. Un peu cassée par l'ostéoporose, le sourire avenant, la dame m'a écouté raconter mon histoire, elle aimait bien les Québécois, un de ses cousins habitait Chibougamau, mais elle n'avait pas de chambre pour moi. Son frère s'était sûrement moqué.

« C'est vrai que les grands écrivains logent ici volontiers, a-t-elle ajouté en riant, ils en font même toute une cérémonie, mais vous n'aimeriez pas, ce n'est pas chauffé. »

« Je ne suis pas capricieux, ai-je répondu, je suis crevé, madame, il est pour moi cinq heures du matin... »

« Je vous crois, je vous comprends, mon petit monsieur, a-t-elle gentiment insisté, mais le lieu est historiquement interdit aux étrangers. »

J'ai repris mes cliques et mes claques et lui ai demandé à qui je m'adressais, je voulais la remercier poliment, lui envoyer un mot peut-être.

« Je n'ai pas de nom vraiment, m'a-t-elle répondu, je suis la concierge du Panthéon. »

Le studio

C'était l'édifice le plus ancien de la rue, le plus décrépit, le plus noirci par la suie et le monoxyde de carbone. J'avais trouvé cette adresse affichée dans une sandwicherie, à côté de mon hôtel. Mme Fabrel louait des studios (elle-même logeait ailleurs) rue de l'Arbalète et pouvait m'offrir quinze mètres carrés au quatrième contre une somme raisonnable au comptant. L'ennui, m'a-t-elle appris, c'était que le lieu était squatté. Si je réussissais à résoudre son problème, elle me gratifiait d'un mois à l'œil... Mme Fabrel était une dame aux cheveux courts, le menton rond et vérolé, le visage sans âge ni beauté, habillée d'un tailleur qu'elle avait acheté à Londres, a-t-elle précisé, quand je lui ai dit qu'il était seyant.

En tant que propriétaire, elle n'avait aucun moyen de chasser la personne qui s'incrustait, à moins de faire appel à la police, évidemment, mais c'était mettre le doigt dans l'engrenage : les impôts, les taxes, les permis, les inspections, et les loyers seraient plus chers qu'au noir. Un Canadien ferait bien son affaire, mais je devais trouver une solution à son problème. « Et qui est cette personne ? » ai-je demandé. « Une fille de l'Est. J'ai été imprudente. Elle me doit deux mois, je ne l'ai pas vue mettre le nez dehors depuis cinq jours et elle refuse de m'ouvrir. Vous voulez tenter de lui parler ? »

Lui parler ? Je voulais bien, je devais à tout prix (le plus raisonnable possible) me loger, toutes les chambres que j'avais visitées depuis une semaine coûtaient la peau des fesses. Je suis monté au quatrième, confiant mes deux valises à la propriétaire qui m'attendrait chez la concierge.

Première porte à droite. J'ai frappé quelques coups discrets, il y a eu un bruit étouffé, puis une voix de femme proférant des paroles incompréhensibles. J'avais gardé mon sac à dos dans lequel j'ai pris un carnet dont j'ai arraché une page. J'ai écrit « Bonjour, je m'appelle Julien » et glissé la feuille sous la porte. J'ai attendu. Elle m'est revenue avec ces mots : « Moi c'est Michka, que me voulez-vous ? »

« Je suis montréalais, québécois, canadien. » J'espérais qu'ainsi elle me situerait géographiquement, de toute façon ce n'est jamais facile de nous identifier ! « J'arrive d'Amérique, et vous ? » « Je suis roumaine », a-t-elle écrit, et nous avons continué l'aller-retour sous la porte. Elle avait appris le français à l'école, le russe aussi. Je lui ai répondu que nous, c'était l'anglais notre langue imposée. Nous avions rempli la page, j'ai suggéré qu'elle colle son oreille à la porte, je ferais de même.

Nous avons murmuré en articulant comme dans les cours de diction, chacun avec son accent. Elle ne voulait pas perdre son nid. « J'y suis, j'y reste. » Elle n'avait ni travail ni argent, se sentait menacée. « Quel âge avez-vous ? – Vingt-quatre », m'a-t-elle dit, j'en avais le double, on m'avait mis d'office à la retraite anticipée. Est-ce que j'allais lui expliquer qu'un météorologue, désormais, devait souvent faire face aux caméras de la télévision et que je ne répondais pas aux critères audiovisuels ? J'avais menacé de poursuivre le Ministère pour discrimination, on m'avait offert une compensation, et c'est avec cet argent que j'allais déloger mon interlocutrice ! « Vous avez un métier ? » Elle a répondu : « Danseuse et vous ? » Je me suis retourné pour vérifier si l'escalier était vide, et j'ai risqué : « Écrivain. Je suis à Paris pour écrire, vous aimez la littérature ? »

Je contemplais la page sur laquelle nous avions échangé, nos écritures se complétaient, la sienne assez élégante, régulière, penchée comme on écrivait chez les religieuses autrefois, la mienne toute droite comme une plantation de pins. « Vous êtes danseuse classique ? » Elle a eu un joli fou rire. J'ai poursuivi : « Vous me laissez entrer ? »

La Roumaine n'était pas idiote, elle savait qu'il fait froid à Paris en novembre et craignait que je ne sois un émissaire de celle qu'elle nommait la chipie. « Combien de temps croyez-vous tenir derrière cette porte ? – Jusqu'à ma mort ! » Je savais que les gens de l'Est avaient le sens du tragique, mais on frisait le mélodrame. « Vous voulez mourir de faim pour garder un studio ? » Elle en faisait une question de principe au pays des droits de l'homme, la France lui avait promis la liberté, pourquoi pas aussi le gîte ? « J'ai faim, vous n'avez pas un bout de pain, du fromage ? » Je la sentais faiblir et j'ai lancé sans réfléchir : « Je vous invite au restaurant ! – Et je retrouverai le studio à mon retour ? – Je vous le jure, je vous promets un toit. » La porte s'est ouverte avec précaution.

Je ne sais pourquoi, j'avais imaginé une fillette, la voix peut-être, une jeune femme au visage angélique à la recherche d'un protecteur. Or la Roumaine avait les traits durs d'une personne qui n'a jamais été heureuse, j'attendais une tête blonde, elle avançait une chevelure bouclée, noire et abondante. Quand Michka a complètement ouvert la porte, elle m'a examiné avec attention, elle tenait un sac à dos vert à deux mains sur son ventre, c'était une danseuse tsigane ou je n'y connaissais rien. Le studio avait l'air moche, mais je n'allais pas le visiter ! Quand nous sommes passés devant la loge de la concierge, j'ai lancé à Mme Fabrel que je reviendrais m'installer plus tard. Il nous fallait un restaurant dans mes prix, qui servait du solide, une raclette, un pot-au-feu à volonté, un couscous généreux. C'est le couscous qui s'est présenté le premier, au coin de la rue.

À table, Michka mangeait comme si elle sortait d'un camp de prisonniers soviétiques, elle me souriait entre deux bouchées, relevait ses cheveux de sa main droite, tenait de l'autre sa fourchette comme une arme. Nous ne nous étions pas dit un mot depuis qu'elle avait passé la porte du garni, nous échangions des coups d'œil, des signes, comme si nous étions muets de naissance. N'avions-nous pas d'abord communiqué par écrit ? N'étions-nous pas nés l'un à l'autre sur le papier ? Je me contentais de la regarder en buvant de l'eau. Michka dévorait mon allocation repas de la journée.

L'idée m'est alors venue de poursuivre la conversation sur la nappe en papier du restaurant. C'est ainsi que j'ai appris qu'elle avait quitté la banlieue de Bucarest pour filer en Moldavie depuis déjà trois ans, elle avait servi dans des gargotes, chanté avec un petit orchestre hongrois qui allait de village en village, fait du strip-tease à Hambourg et de la prostitution à Paris. Elle s'était battue avec son proxénète (c'est moi qui lui ai appris le mot) qui la volait et c'est pour cela qu'elle s'était enfermée dans sa chambre, sans le sou, sans nourriture, sans espoir. Je lisais son histoire sur la table et je comprenais qu'elle en avait plus long à raconter qu'un fonctionnaire canadien à la retraite qui avait passé sa vie dans les nuages. Son expérience était crue, la mienne pasteurisée.

Au dessert, des loukoums sucrés à vous lever le cœur, nous avions couvert la nappe de nos échanges épistolaires. C'est en la regardant dans les yeux, devant sa détresse et sa tristesse, que j'ai eu une idée de génie. Je cherchais un château avec pont-levis, des murs derrière lesquels le maquereau ne pourrait pas venir la chercher, soudain j'avais trouvé! Quand j'ai quitté Michka, elle était bien au chaud, assise dans la salle d'attente du Secours catholique de la paroisse de Saint-Jacques-du-Haut-Pas. Je l'avais persuadée d'entrer au couvent pour

27

se refaire une virginité. J'ai insisté pour qu'elle prie pour moi, puisqu'elle avait la foi, demandant au Seigneur de me donner le talent de mes ambitions ! Au moment de me quitter, Michka a fouillé dans son sac au fond duquel elle a récupéré un minuscule crucifix en bronze qu'elle m'a glissé dans la main. Elle m'a embrassé sur la joue, m'a remercié, je me sentais comme la bonne fée d'un roman de gare.

De retour chez Mme Fabrel, j'ai monté mes bagages dans ce qui avait été son studio, et j'ai épinglé au mur la nappe en papier recouverte d'écritures, pleine de vie comme une carte géographique à explorer. J'étais épuisé, physiquement et nerveusement. Je n'ai jamais cru en Dieu et encore moins aux couvents, je venais de prédire à Michka une météo sans tempêtes, or on ne peut jamais savoir. Je n'avais pas même le courage de me déshabiller, j'ai verrouillé la porte et me suis jeté sur le lit sans mettre les draps, enlevant du bout des orteils mes lourdes chaussures.

Au milieu de la nuit, ou était-ce en fin de journée, on ne sait jamais dans cette ville au ciel bas et à la lumière rare d'automne, perdu dans mon grand manteau, mes rêves et le décalage horaire, j'ai senti que quelqu'un s'étendait à mes côtés, j'ai cru deviner une odeur de cheveux sombres et de parfum sucré. C'était peut-être Michka qui avait quitté le couvent pour venir me rejoindre ? Je n'ai pas bougé. Au matin, tremblant de froid, je me suis réveillé en sursaut. J'étais seul avec un amour de papier.

Le carnet

Dès qu'il eut jeté les yeux sur le rayon des carnets et cahiers chez Gibert Jeune, l'incontournable marchand du Quartier latin, Julien tomba (comme on dit en anglais) amoureux fou des couvertures de couleurs chatoyantes Clairefontaine agrémentées d'un triangle *modern style* (comme on dit en français) encadrant une tête de femme. Ces cahiers *made in France* (comme on dit dans toutes les langues) lui rappelaient la plus belle chanson de la langue française que sa mère lui avait apprise à l'âge des genoux. Tout en se remémorant les « *m'en allant promener, j'ai trouvé l'eau si belle...* », il hésitait entre les orange, les bleus, les verts ou les mauves, et c'est cette couleur qui finit par l'emporter. Le mauve étant peut-être la couleur d'une forme de mélancolie dont Julien ignorait le virus.

Les formats des carnets posaient aussi problème, mais il ne put résister au modèle « pupitre » qui le renvoyait aux bancs d'école, au calepin dans lequel il notait devoirs et leçons, échéances des travaux, et quelques numéros de téléphone entre des dessins érotiques tracés à la mine de plomb. Gibert Jeune est un *self* (comme on dit à Paris), mais il faut faire la queue avec patience avant d'atteindre la caisse puis passer devant le regard inquisiteur du vigile. C'est en plein bonheur que Julien fila sur le trottoir, son carnet en poche, et il ne put résister à la tentation de se glisser sous une chaufferette à gaz butane, à la terrasse d'un café, place de la Sorbonne.

Un saxophoniste, une écuelle à ses pieds, jouait des airs de jazz, les fontaines de la place crachaient une eau savonneuse, des étudiantes bavardaient aux tables devant des cahiers étalés entre des tasses vides. Julien eut envie d'écrire un poème, ce qu'il n'avait plus fait depuis son adolescence. Son père lui avait souvent parlé de poésie et des poètes qui travaillaient à ses côtés à la librairie des éditions Fides, parfois pour les ridiculiser, mais aussi avec admiration depuis qu'ils étaient devenus célèbres sur la place de Montréal. L'apprenti romancier commanda un crème dans lequel il laissa fondre deux sucres et se recueillit un instant. Des vers lui revenaient en mémoire, un quatrain de Nerval à la tour abolie, des rimes d'Apollinaire, un poème de Gaston Miron, l'un des deux confrères du paternel. Le rythme, se dit-il, c'est l'essentiel, le rythme et la rime ! Il découvrit dépité que son carnet était trop étroit pour des alexandrins.

Le soir était tombé et le saxophoniste poursuivait son concert solitaire dans la pénombre. Les cafés s'illuminaient. Levant les yeux vers la Sorbonne, il eut une vision : est-ce que ce n'était pas le grand Miron lui-même qui traversait l'esplanade là-bas d'un pas alerte ? Il ne put s'empêcher de crier : « Gaston ! Gaston ! » Et il imagina que ce dernier reconnaissait sur-le-champ le fils de son ancien collègue de travail, puis éclatait d'un rire gargantuesque qui faisait se retourner tous les consommateurs de tous les cafés de la place !

« Ah ! si c'est pas le jeune Mackay ! crierait Miron. Qu'est-ce que tu fais ici, bout d'crisse ! Non, ne me le dis pas, tu attends une jolie frimousse ! » Julien protesterait, invitant le poète à sa table. « Pas du tout, monsieur Miron, je n'attends personne, je peux vous offrir un café ? – Pourquoi pas un verre de rouge, mon jeune, on est à Paris ! »

Aussitôt le poète servi, Julien ne pourrait s'empêcher de souligner l'extraordinaire coïncidence. « J'allais écrire un poème quand je vous ai vu, c'est incroyable ! – Tu as vu la poésie qui passait place de la Sorbonne, comment va ton père ? – Il est furieux contre moi parce que j'ai abandonné mon poste à l'Environnement pour venir à

Paris. – Tu avais une bonne raison? – Je veux écrire un roman. – Mais tu viens de me parler d'un poème! – J'ai une idée de roman en tête.» Se tournant vers le garçon, Gaston Miron demanderait à voix haute: «C'est quoi, ce rouge?» L'homme derrière le bar répondrait sans se déplacer: «Du madiran! – Tu m'en diras tant!» Puis il se pencherait vers Julien: «T'es pas un peu âgé pour jouer à l'écrivain? – Il y a un âge pour ça? – Non, mais je t'aurai prévenu, c'est pas un métier pour nourrir une famille! – Vous parlez comme mon père.» Miron pourrait-il l'aider? Accepterait-il de lire quelques pages? «Tu es le seul juge, lui répondrait le poète, tu écris parce que tu en sens le désir, tu n'as pas besoin de l'approbation de qui que ce soit.» Et Miron se lèverait brusquement, partant comme il était venu, disparaissant dans la foule au coin du boulevard.

Julien termina son café, referma son carnet Clairefontaine, en se disant que même s'il avait vu Gaston Miron traverser la place, jamais il n'aurait eu le courage de l'interpeller.

Dans l'escalier

Il est onze heures du matin, je le sais parce que c'est à cette heure précise que j'entends, tous les jeudis, un balai frapper le bas de ma porte. La première fois, je suis allé répondre, croyant avoir un visiteur, mais j'ai trouvé un jeune homme balayant le palier, essuyant les marches avec un linge humide, poussant du pied un seau de métal qui éraflait le sol. Une fois par semaine, ce garçon fait l'escalier depuis le sixième étage. Je crois qu'il est d'origine maghrébine, peut-être algérienne.

En fait Mohammed (je lui ai demandé son nom le jeudi suivant) n'est pas le concierge, mais un employé d'une Société d'entretien des édifices parisiens. C'est dommage, parce qu'il aurait pu revenir et réparer mon vasistas, la pluie glisse le long de la vitre, la fermeture est abîmée et l'eau est en train de faire pourrir le parquet du studio.

Si j'étais au Canada, je saurais le réparer moi-même, mais ici je n'ai pas d'outils. L'écrivain est bien démuni, à l'étranger, devant les petits problèmes de la vie. Mohammed m'a confié que même s'il pouvait réparer le vasistas, il n'en aurait pas le temps, sa société a plusieurs contrats à honorer, on lui accorde quarante minutes pour notre escalier, après quoi il doit courir vers un autre immeuble.

« Le soleil ne vous manque pas ? » lui ai-je demandé par gentillesse. Il m'a répondu sans me regarder, la tête penchée vers les marches du troisième étage : « Il n'y a jamais de soleil dans les escaliers », puis il est redescendu, essuyant chaque marche d'un coup de chiffon, le seau à ses côtés. Je ne crois pas que Mohammed ait compris que je souhaitais l'entendre parler de l'Algérie.

L'autre jeudi, je me suis un peu avancé. Quand j'ai ouï le coup de balai sur ma porte j'ai ouvert rapidement, je lui ai dit bonjour, je l'ai remercié pour son bon travail, puis j'ai osé : « Nous sommes le 8 décembre, c'est la fête de l'Immaculée-Conception, vous n'avez pas congé ? – Je ne sais pas, moi, monsieur, a répondu Mohammed, ce n'est pas ma religion. » Alors je me suis permis d'ajouter :

« Ce n'est pas la mienne non plus, mais comme ici l'Assomption, l'Ascension, la Toussaint, Noël, Pâques et le reste sont des fêtes religieuses nationales, je pensais que c'était férié aujourd'hui. La France est un pays *catholaïque*, vous ne trouvez pas cela étrange ? » Mohammed s'est contenté de sourire d'un air embarrassé. Peut-être que je retardais son travail ?

En refermant la porte, j'ai poursuivi mon raisonnement : pour être vraiment laïque, la République devrait faire de l'Immaculée-Conception la fête de l'Insémination artificielle, de l'Ascension celle de la Conquête spatiale, Pâques est bien celle des Marchands de chocolat, la Pentecôte honorerait les Langues vernaculaires ou bien les Traducteurs, et pourquoi ne pas transformer l'Épiphanie en Jour de la littérature ? Pour la Toussaint, pas de problème, c'est déjà le Bal des citrouilles. Dans *Le Monde*, ce journal qui est daté du lendemain et commente les informations de la veille, on rapporte que le cardinal archevêque de Paris a prononcé un sermon sur Halloween. Monseigneur craint les rites païens ! Le clergé catholique est invité à chasser les sorcières ! L'Église ne changera jamais.

Hier, quand j'ai entendu le balai de Mohammed frapper la porte, je me suis précipité pour lui demander s'il avait, le mois dernier, fêté Halloween avec ses enfants, s'il était revenu dans les escaliers qu'il nettoie pour frapper aux portes et ramasser des friandises. « On distribuait des bonbons en Algérie quand vous étiez enfant ? » lui ai-je demandé. Il m'a regardé d'un air indécis, comme s'il craignait de me décevoir, puis il a haussé les épaules et m'a répondu : « Je ne sais pas pour l'Algérie, monsieur, je suis turc. » J'ai bafouillé des excuses et refermé doucement la porte, en me disant qu'il est de plus en plus difficile de savoir à qui l'on a affaire en France.

Au café

Ce qu'il y a de merveilleux, dans la politesse française, c'est le « bonjour » qu'on vous lance partout d'entrée de jeu, et la main que vous tend le patron du bistrot. Il sait vous reconnaître, il est allé à bonne école, celle du commerce, il me donne du « monsieur Julien » et me suggère une table au fond de la salle. « Comme d'habitude ? » fait-il en retournant au comptoir, il sait ce que je désire le matin : du café et de l'inspiration.

J'ouvre mon sac à dos, y puise un cahier et mes crayons, le patron revient avec un grand crème et un croissant, je lis dans ses yeux tout le respect qu'il porte à la littérature : je lui ai expliqué ce que j'entreprenais, il apprécie que j'aie choisi, parmi les cafés du quartier, une de ses tables pour rédiger mon œuvre.

Drinkwater. Je relis ce que j'ai écrit la veille, ce n'est pas aussi convaincant que je le croyais. La mère de Gerry Drinkwater est confinée depuis le décès du père, quatre ans auparavant, dans la chambre d'un hospice agréable, le *Quincy Talbot Memorial*. Angèle Boileau, dont l'esprit est embrumé, ne sait pas vraiment qui est l'homme au pied de son lit, est-ce Gerry son fils ou peut-être son mari, ou bien un infirmier?

Mme Boileau habite un curieux espace-temps. Il y a, entre elle et Gerry, une haine sourde. Pour la faire sentir, je voudrais ce matin écrire une scène à laquelle je n'ai cessé de penser en m'endormant hier : Gerry qui, à onze ans, tient la langue québécoise de sa mère en profonde aversion (ses petits amis américains se moquent d'elle) va brûler, sur la grille du barbecue du jardin, les rares livres en français de la bibliothèque familiale. Le père, qui parle anglais au travail, ne dit pas un mot. Angèle se réfugie en pleurant dans la salle de bains du rez-de-chaussée. Mais qu'il est difficile d'écrire ce qu'on a imaginé la veille dans son demi-sommeil! J'aimerais qu'on associe l'enfant au militaire qui, en Asie, ira brûler les cases au napalm. Est-ce trop?

Je vais réfléchir et prendre un autre café, l'écriture est une longue patience. D'ailleurs voilà les habitués qui arrivent, les uns après les autres, il est déjà onze heures, ils me saluent de loin, je sais ce qui m'attend, ce sont des gens sympathiques, ils vont m'offrir un verre, que je ne saurai pas refuser, je suis seul à Paris et timide de nature.

Au quatrième apéritif, juché sur un tabouret, le coude sur le bar, j'oublie mon roman, je tends l'oreille. Les clients semblent facilement m'inclure dans leur cercle. Je leur sers de référence, le Québec, l'Amérique, je me contente de hocher la tête, ils présument que je les approuve et poursuivent leurs discours. Peu importe que les habitués, dégustant un ballon de blanc, abordent la question des impôts, des chiens de race, du match de rugby, des immigrés ou des paris mutuels, ils ont une expression pour ponctuer leurs déclarations : « Fait chier ! » Et mon roman alors !

Les Chinois qui envahissent les petits commerces... « font chier ! » Paris, répètent-ils, compte 450 000 Chinois et il n'y en a pas un seul dans les cimetières ! En fait, aucun Chinois ne meurt vraiment parce que, dès que son âme a rejoint celles de ses ancêtres, il est incinéré, ses cendres placées dans une urne, expédiées avec ses papiers de séjour, son permis de conduire et ses cartes de crédit vers son village natal, dans une quelconque province de l'Empire du Milieu. En quelques jours, un sosie vient le remplacer. Le patron soutient qu'ils ne prennent même pas la peine d'expédier les cendres en Chine, qu'ils en font de la soupe. Cette méchanceté s'explique : il n'y a que deux grandes cuisines au monde, et son bistrot sert la française. « Fait chier ! »

Ce qui fait chier l'un d'eux, libraire, c'est que Paris se vide, qu'il perd des clients, qu'il devra bientôt déposer son bilan, que le petit peuple est chassé vers la banlieue par des spéculateurs qui transforment les appartements en bureaux qu'ils ne réussissent même pas à louer. « Font chier ! » Il a raison, dans le Marais, les ateliers d'artisans sont chassés par les loyers faramineux. Des vitrines sont vides, des commerces abandonnés. On sait que l'économie va mal quand des galeries d'art apparaissent, qui fermeront bientôt leurs portes comme des débits clandestins. « Font chier ! »

Cela dit, d'un verre de vin à l'autre, ou même pour un demi, ils ont bien le droit de râler : ce pays est plein de belles et bonnes choses qu'il ne faut pas perdre. Les Parisiens au fond sont des sentimentaux : on voit des garçons virils, de vingt ans, se rendre à un rendez-vous un bouquet de fleurs à la main. On les croise dans le métro, le regard amoureux. Chez nous, les fleurs ne s'offrent qu'aux anniversaires et aux enterrements. Politesse et romance, à Paris la tradition des gentilshommes perdure. Et celle d'écrire dans les bistrots ?

Je n'ai pas avancé d'un paragraphe. Alors, en rentrant, je prends quelques sous pour m'offrir des fleurs, les moins chères évidemment, que je placerai dans une bouteille de plastique qui me sert de vase. Six tulipes, qui faneront dans deux jours. « Font chier ! »

Ce n'est pas si facile de vivre autrement, du jour au lendemain, sa vie d'ici, et je dois avouer que Paris, depuis quelque temps déjà, essaie de me désarçonner, comme un cheval son cavalier.

RAINER MARIA RILKE

Le lancement

C'est au hasard d'une quête d'inspiration que Julien
avait découvert, marchant à grands pas rue Gay-Lussac,
après avoir traversé la rue Saint-Jacques, la Librairie du
Québec située entre un institut de beauté et une épicerie
fine. Il en devint rapidement un habitué et le plus souvent le seul chaland. C'est en ces lieux qu'il mesura son
ignorance de la littérature de son pays et fut même
étourdi par la variété des titres au catalogue. Devant les
étagères placées à angle droit, il se sentait pour ainsi dire
« entouré de ses confrères ». Un jour, se disait-il, j'aurai
ma place sur ces rayons et mon roman sera mis en
évidence sur la table à l'entrée. Que peu de clients
pénètrent dans la librairie pour se procurer un ouvrage
ne semblait pas le déranger outre mesure. Julien était
au-dessus de ces contingences.

Les employés s'étaient habitués à sa présence discrète
et le laissaient fureter, saisir un volume, en lire à haute
voix le titre, comme au théâtre, puis se plonger dans

la lecture attentive de la quatrième de couverture. Il n'achetait aucun ouvrage, sortant parfois de sa poche le carnet Clairefontaine mauve dans lequel il prenait des notes en hochant la tête.

Julien, qui n'avait jamais été invité à un lancement de livres, s'étonna un mardi qu'on lui offrît à dix-huit heures un verre de vin, sans rien demander en retour. Peu à peu une trentaine d'invités envahirent les lieux, se pressant au rez-de-chaussée et au sous-sol. Ils semblaient tous se connaître, s'apostrophaient à qui mieux mieux et riaient de bon cœur. Appuyé à une colonne, à proximité d'un bol de chips nature, Julien trinqua avec ses voisins qu'il ne connaissait aucunement mais dont l'accent le mettait à l'aise. Un petit homme de son âge, légèrement apoplectique, lui apprit que ces libations se tenaient régulièrement pour assurer la promotion d'un livre québécois récent.

« On lance de tout ici, ajouta l'individu, aucun besoin que l'œuvre soit géniale ou même lisible, pourvu que l'auteur soit en ville. L'idée, vous comprenez, c'est d'offrir un ersatz de centre culturel que les gouvernements du Québec, tous partis confondus, n'osent pas créer de peur d'avoir l'air de tapettes ou d'intellectuels ou les deux. » L'individu devint cramoisi en riant de l'à-propos de son analyse sociologique et poursuivit sans que Julien l'interrompe.

« Voyez, les cartons d'invitation sont payés et postés par la Délégation du Québec qui offre aussi le vin, la librairie en tire publicité, les éditeurs livrent cinquante bouquins qu'ils laisseront dormir quelques mois en dépôt et les auteurs sont flattés d'avoir été lancés à Paris, France. Ainsi tout le monde est heureux, à l'occasion cela produit un articulet dans *Le Devoir* à Montréal, aucun écho ici. »

Julien buvait et s'instruisait. À un certain moment, un maître de cérémonie réclama le silence qu'il n'obtint qu'approximativement et entreprit de dire tout le bien que l'on devait penser du livre fêté, d'autant que son auteure était une poétesse à l'avant-garde de l'écriture au féminin ! Sur ces propos Julien avala une ultime gorgée de vin. Il connaissait ce discours qu'il avait lu sur la quatrième de couverture. Il déposa son verre sur une étagère et se fraya un chemin vers la sortie tandis que l'auteure évoquait son séjour récent aux États-Unis dans une université célèbre pour ses *gender studies*. Elle avait participé là-bas, avec ses *consœurs*, à la lutte contre le contrôle masculin de la culture. « La langue est maternelle et n'appartient qu'aux écrivaines dont la littérature est le matrimoine… », venait-elle de marteler quand il passa la porte et s'en fut, légèrement éméché, en direction du boulevard Saint-Michel. Le novice avait encore soif et trouva un bar à bière pour chasser le goût de la piquette gouvernementale et noyer son angoisse.

Jusqu'à ce lancement, Julien avait cru la littérature une et indivisible, il comprenait maintenant qu'il n'avait fait qu'ignorer les querelles littéraires. Était-il marginalisé pour autant ? Qui viendrait boire à son lancement ? Devait-il s'associer à une secte ? Il ne se voyait pas parmi les minorités délirantes. Il eut soudain un spasme. La bière brune par-dessus le vin rouge ne fait pas toujours d'heureux mélanges. Tout comme l'idéologie et la littérature, aurait-il pu ajouter sur le coup de minuit, s'il n'avait mis tous ses efforts à vomir dans la Seine, par-dessus le parapet du pont des Arts.

Le bon conseil

Quand je suis arrivé chez le Grand Homme, il était près de onze heures, onze heures dix peut-être. Je lui avais écrit deux lettres, une première lui disant toute mon admiration pour son œuvre, dans la seconde j'avais ajouté deux courtes nouvelles. Il m'avait répondu gentiment, je veux dire de manière enjouée, avec une modestie amusée. Son œuvre, disait-il, était bien légère et l'intérêt que je lui portais lui paraissait immérité. C'est pour qu'il saisisse la profonde influence qu'il avait sur moi que je m'étais permis de lui soumettre de petits textes. Ce second envoi m'avait valu une invitation à déjeuner, il souhaitait que nous prenions l'apéritif dans son jardin avant d'aller casser la croûte dans un resto du quartier.

J'étais en avance, j'avais mal mesuré le temps nécessaire pour me rendre chez lui, alors j'ai poireauté un moment sur le trottoir, je suis passé deux fois devant une villa ancienne en pierres meulières avec des volets défraîchis. J'avais aussi par deux fois vérifié l'adresse dans mon carnet et je ne pouvais continuer à examiner sa demeure sans avoir l'air d'un voleur de grand chemin. Paris cache des quartiers comme celui-là, agrémentés de bosquets et d'arbres comme si on était à la campagne. Je ne m'étonnais pas que le Grand Homme ait déniché cette cachette. Il n'y avait ni sonnette ni boîte aux lettres, j'allais frapper du poing dans la porte quand celle-ci s'est ouverte d'un seul coup. « Monsieur Mackay, je présume ? »

L'auteur m'attendait, m'avait-il épié ? Nous avons traversé la maison par un corridor qui menait à une terrasse s'ouvrant sur un jardin au milieu duquel se tenait, solide et fier, un cèdre du Liban. Moi aussi un jour, me suis-je dit, j'attendrai la visite d'un admirateur ou d'une lectrice derrière la porte de ma demeure, jouissant du bonheur de la notoriété.

« Qu'est-ce que vous buvez ? » Boire à cette heure ! J'ai répondu bêtement que je boirais ce qu'il buvait. « Je ne bois jamais seul, vous comprenez, je vous attendais », et je me suis retrouvé avec un verre de raki à la main. « Monsieur Mackay, la lettre que vous m'avez envoyée était exquise. Vous écrivez en ce moment ? » Nous nous sommes assis sur des chaises en osier, je n'ai pas eu le temps de répondre, le Grand Homme a fermé les yeux, avalé une lampée et s'est lancé dans un monologue que j'ai écouté avec attention.

« C'est un souvenir que je ne réussis pas à gommer, le goût étonnant de cette anisette qui me mouille les lèvres cependant que le soleil couchant enflamme le Bosphore. C'est grâce à ce liquide divin que j'ai écrit ce livre, dont vous m'avez dit tout le bien qu'il en faut penser. Or j'ai certainement vidé mille bouteilles de raki depuis, mais je ne retrouve plus la qualité d'inspiration de ce moment. Tout se passe comme si l'alcool aujourd'hui me rendait stérile alors qu'hier il m'a fécondé ! »

J'ai osé rétorquer qu'il lui manquait peut-être le paysage, qu'il s'agissait moins de consommer que de le faire en un lieu précis ? « C'est le danger des voyages », m'a-t-il répondu, en avalant d'un coup son verre et en allant se resservir aussitôt.

Il s'est rassis, m'a demandé : « Vous voyagez beaucoup ? », puis il a fixé les glaçons qui flottaient dans l'eau trouble de sa boisson, avant de fermer lentement des

paupières épaisses comme des carapaces de tortues.
Allait-il s'endormir ? J'ai tenté de répondre à sa question.
« Les météorologues, lui ai-je dit, voyagent moins que
les nuages et les courants d'air, nous sommes condam-
nés à voir venir le temps depuis un point fixe, non, je ne
me suis jamais beaucoup déplacé sur la planète. Est-ce
rédhibitoire ? » Il n'a pas réagi.

Un plat de pistaches était posé par terre devant moi,
j'en ai pris une pleine poignée. L'avantage des pistaches,
qu'il faut ouvrir avec l'ongle, c'est de vous offrir une
contenance. L'ennui, c'est que je ne savais pas où mettre
les écales. Le Grand Homme, sans ouvrir les yeux, a murmuré : « Il n'y a rien que je déteste plus que de retrouver
des écales dans mes bacs à fleurs ! » J'ai pensé les glisser
dans mes poches. « Vous les répandrez le long du chemin, en rentrant chez vous, comme dans le conte de
Charles Perrault. » Il n'avait toujours pas ouvert les yeux.

Voulait-il que je lui raconte ma vie ? J'ai décidé
d'attendre une question et me suis resservi moi-même
un autre verre, continuant à dévorer les pistaches,
salées, grillées à point, qui donnent soif comme le désert.
Le soleil de midi tiédissait l'air, on entendait au loin
les avertisseurs des ambulances de l'hôpital militaire au
carrefour. « Vous me mettez quelques glaçons, un peu

de raki, très peu d'eau, celle des glaçons qui fondent me suffit. Ne vous inquiétez pas, nous irons manger tout à l'heure, nous avons beaucoup de choses à nous dire. Quel âge avez-vous, monsieur Mackay ? » Je l'ai resservi, me suis resservi, et j'allais lui donner la réplique quand il a ajouté dans un souffle : « À votre âge j'avais toujours faim, aujourd'hui j'ai toujours soif. »

Nous n'avions pas dix ans de différence, j'avais entre-pris ma nouvelle carrière sur le tard, comme un veilleur de nuit, je savais qu'il ne s'agissait pas de ma date de naissance. J'ai tenté une réponse : « J'ai faim de littéra-ture d'abord et avant tout. » Je me sentais naïf et légère-ment étourdi par l'alcool. Le Grand Homme a étiré ses jambes, il devait mesurer un mètre quatre-vingts, il était plutôt mince, les pieds nus dans des sandales tressées, certainement un autre souvenir de voyage. Ce qui m'a frappé, ç'a été de voir ses rides se creuser comme des ruisseaux à mesure que l'heure avançait. De temps à autre il proférait une remarque, évoquait ses deux épouses, l'une américaine, l'autre suisse. Mais il était dif-ficile d'avoir une conversation suivie. « C'est vrai que la littérature creuse l'appétit », m'a-t-il répondu plusieurs minutes plus tard. Alors nous avons devisé de l'air du temps, des auteurs que nous aimions, de ceux que nous détestions, et nous avons entamé une seconde bouteille. Je ne sais lequel de nous deux s'est assoupi le premier.

« La littérature peut vous avaler, monsieur Mackay. »
Je crois me rappeler qu'il a dit cela en avalant lui-même
une dernière gorgée de raki. Nous ne sommes jamais
allés au restaurant du quartier et je n'ai pas pu lui parler
de mes projets.

En rentrant chez moi, vers la fin de l'après-midi,
épuisé par une conversation légèrement erratique, le
ventre creux, le foie barbouillé, les poches pleines
d'écales de pistaches, je n'avais pas pour autant perdu
la profonde admiration que je portais à ce grand auteur,
car seuls les très grands hommes savent partager leurs
angoisses avec les petits et les sans-grade.

Puis l'idée de faire comme le petit Poucet m'est revenue et j'ai semé, au carrefour, dans l'escalier du métro,
sur une banquette de la rame, et jusqu'au pied de mon
immeuble, les restes biodégradables de mon admiration
littéraire.

L'œuf dur

Depuis le jour de ma grande méprise, je reviens souvent place du Panthéon. La mairie y a installé, fin décembre, de faux bosquets de vrais sapins, que les fonctionnaires municipaux arrosent tous les matins. Les plus hautes branches, décorées de neige artificielle, ajoutent à l'ensemble monumental un cachet hivernal qui me remplit de nostalgie. Je ne rends pas visite à la concierge, mais j'ai fait du Panthéon une étape de mes pérégrinations.

Ce jour-là, je me tenais debout sur les marches du temple dédié à la mémoire des grands hommes, me demandant si la patrie un jour me serait reconnaissante, et surtout si j'avais assez de sous pour une nouvelle visite au pendule de Foucault que l'on a suspendu à la coupole de l'édifice. J'aime bien voir dans le sable la preuve que la Terre tourne toujours, mais le spectacle coûte le prix d'un sandwich et d'une bière. J'en suis même venu, parce que le taux de change varie sans cesse, à calculer mes dépenses en tasses de café au comptoir. Un parcours en autobus (ici on n'a pas encore appliqué la correspondance gratuite) vaut trois cafés, une paire de chaussures de qualité moyenne plus de cinquante tasses, un livre neuf de treize à vingt express.

J'hésitais donc, m'étant promis de fréquenter le pendule de façon régulière. Un rayon pâle traversait avec difficulté la couche brune de la pollution mais il se rendait jusqu'aux marches, et je me réchauffais voluptueusement les os quand un touriste, costaud comme un joueur de football américain, m'a demandé de le prendre en photo avec son appareil, un Leica 35 mm, étui de cuir ancien, pare-soleil. Nous avons discuté de l'angle, en anglais forcément puisqu'il débarquait du Wisconsin. Arnold désirait que je cadre sa tête en plan rapproché, en contre-plongée, avec le fronton du Panthéon bien visible. J'ai mis une dizaine de minutes à tourner autour du sujet, il était franchement très gros, mais j'ai pris trois clichés, j'espère qu'il y en aura un de présentable. Autour de nous des Japonais n'avaient pas d'états d'âme : ils photographiaient en numérique.

Pour me remercier, Arnold m'a offert la visite, je n'allais pas refuser. Nous nous sommes retrouvés côte à côte dans le temple, à deviser sur le cycle des planètes et le temps qui passe, sachant bien à nos âges que c'est nous qui passons. Nous parlions à voix basse comme dans un salon funéraire et nos murmures sous la coupole donnaient à la visite une dimension religieuse. L'Américain était particulièrement ému, il se sentait loin du Wisconsin. Je lui ai proposé d'aller prendre un café en sortant rue Soufflot.

Champion de tennis sur table, Arnold était professeur de physique dans un collège pour filles à Madison. Il venait de divorcer et visitait l'Europe pour faire son deuil. Il m'a demandé : « Vous êtes marié ? », et quand je lui ai expliqué qu'au Québec on préférait se coller, s'accoter, vivre ensemble, il a secoué la tête, affirmant ne rien comprendre aux mœurs du Nord. Il tenait à me raconter son histoire et, debout au comptoir, j'ai accepté une bière avec un œuf dur. Pendant que je pelais l'œuf, selon une technique personnelle développée à l'époque des tavernes, en roulant la coquille sur le zinc jusqu'à ce qu'elle craquelle, l'Américain m'a parlé de sa femme partie avec un camionneur, des trois enfants qu'il avait confiés à sa propre mère, du bungalow avec piscine qu'il avait mis en vente et de sa profonde douleur.

J'avais mis assez de compassion dans mes questions pour qu'il me demande à son tour ce que je faisais à

Paris. J'ai décidé de lui avouer la vérité et de lui expliquer que je me débattais avec un personnage, Gerry Boileau de Montpelier, Vermont, qui avait combattu au Vietnam avant de rentrer au bercail changer son nom et se lancer dans une entreprise de monuments funéraires. En prenant de toutes petites bouchées dans le blanc de l'œuf, mettant de côté le jaune comme dessert, je l'ai pris à témoin : « Au fond, lui ai-je dit, Gerry Drinkwater cherche à effacer la culture des Boileau comme si nous voulions voir disparaître les traces du pendule pour faire croire à l'immobilité. Je ne comprends pas mon personnage, quelle honte peut-il y avoir à posséder des racines françaises ? » En vidant sa bière Arnold m'a dit : « Les Français ne sont pas très virils. » C'était une chance qu'il ait fait cette déclaration dans la langue du Wisconsin car le patron qui nous regardait de l'autre côté du bar aurait sûrement mis brusquement fin à la conversation.

« Je vais vous dire, a ajouté Arnold, il n'y a rien à comprendre à l'Amérique. Ma femme a troqué un foyer contre une roulotte, elle sillonne maintenant l'Ouest avec son amant qui travaille pour le manufacturier de pneus *Goodyear*, ils mangent dans des *diners*, couchent dans des motels *Days Inn*, elle a choisi un retour au *basic*, je pense même qu'ils fréquentent une paroisse baptiste ! » Est-ce que Drinkwater avait fait le même choix ?

Il n'y avait plus rien à ajouter. J'ai pris un deuxième œuf dur et l'ai longuement contemplé dans la paume de ma main gauche, il était parfait, beige avec de gentilles taches noires, j'ai pensé : « Tu te débats avec un personnage imaginaire, mais tu ne souffres pas comme cet homme dont le monde s'est écroulé, il est dans la vie, tu es dans l'art, tu ne peux rien faire pour lui, je ne veux plus t'entendre te plaindre de ton sort, va, écris et retourne dans ta coquille ! » J'ai prétexté un rendez-vous, Arnold a payé la note.

Le linge sale

La laverie de la rue Gay-Lussac est située entre deux restaurants tenus par des Chinois. On y rencontre d'ailleurs souvent l'un des serveurs qui a pour tâche d'y venir laver nappes et serviettes, qu'il ira par la suite repasser dans sa chambre, après les avoir soigneusement pliées sur la tablette qui jouxte le distributeur de lessive. C'est un garçon gentil, toujours souriant, mais qui répond à peine quand je le salue. C'est un être de silence, qui accomplit son travail avec minutie et sérieux. Au moment du séchage il monopolise trois appareils, les met en marche, s'assied devant, dans la position du lotus, et semble se perdre dans le mouvement des nappes qui virevoltent, ses yeux en amande concentrés sur les hublots.

Jadis, sur le plateau Mont-Royal, à Montréal, le Chinois du coin tenait une buanderie et savait, comme pas

un, repasser les chemises qu'il amidonnait avec de l'eau
de riz. Ma mère, femme d'intérieur remarquable, en
était jalouse. Mon père lui confiait cinq chemises
blanches qu'elle devait aller réceptionner chaque jeudi
avec diligence. Entre voisins on soupçonnait le vieil
Oriental de cacher dans son arrière-boutique des entre-
prises douteuses, des faussaires qui imprimaient des
dollars américains, des trafiquants d'opium, l'Asie était
de l'autre côté de la planète, si on creusait dans son jardin on allait traverser la croûte terrestre, disait-on, et
aboutir à Pékin. On dit maintenant Beijing, la Chine n'a
pas fini de nous étonner.

Que le serveur transforme une corvée de lavage en
pratique zen me renverse. À quoi peut-il donc penser?
Est-il un philosophe en exil? Je suis condamné à fréquenter la laverie : on a beau travailler proprement à sa
table, écrire sans se salir les mains, il y a les draps, les
serviettes, les chaussettes et les caleçons de l'écrivain qui
deviennent du linge sale. Or je déteste étaler mon intimité en public, c'est un problème que je rencontre dans
ma prose. Quand je transvide le linge humide essoré
dans le petit panier de plastique jaune, j'ai l'impression
de me dénuder. Je réalise cette opération à grande
vitesse, si je savais écrire à ce rythme je serais comblé!
Or au contraire j'écris comme fonctionnent les machines
à laver en Europe, un petit mouvement, un peu d'eau,

61

un arrêt, un autre coup d'hélice, c'est décourageant. Je ne sais pas quand j'aurai terminé le deuxième chapitre de mon roman. Dans un siècle ?

Ma lessive terminée, je m'offre habituellement le menu du restaurant chinois de gauche. Celui de droite est moins propre, il me semble. Je crois que j'ai un rapport difficile avec la saleté. Ce qui me dégoûte le plus, ce sont les brassées des étudiants de la fac de droit qui fréquentent la même laverie. Des jeunes gens qui en veulent pour leur argent et enfournent dans une même machine jeans et sous-vêtements, espadrilles et sacs de couchage. Quand ils ont bourré l'appareil comme une dinde à la Thanksgiving il arrive que le hublot saute au beau milieu d'un cycle. Évidemment l'eau savonneuse se répand sur le carrelage et nous voilà en plein marécage. C'est la vieille Marie qui doit tout essuyer avec sa serpillière. Marie est à la retraite, mais pour tromper l'ennui elle entretient trois laveries dans le quartier, pour un salaire de misère, dit-elle, refusant de dénoncer le patron, un pied-noir richissime, ajoute-t-elle.

C'est Marie qui m'a initié au fonctionnement des appareils. Les instructions au mur sont incompréhensibles à moins d'être né en France. De plus il faut être patient avec la technologie européenne, tout est automatique, mais pour faire des économies d'énergie, les moteurs travaillent au ralenti. Les rythmes sont calmes, réfléchis, comme si l'on regardait le temps passer. Ce n'est pas plus mal : ils investissent dans la pierre, nous jouons à la Bourse.

Il y a avantage à avoir en poche les bonnes pièces, les machines ne rendent pas la monnaie. Marie a plein de pièces dans son sac, elle vend aussi de la poudre de lessive de qualité. Elle est veuve depuis quelques mois et se croit autorisée à raconter sa vie à tous et chacun. Une laverie, c'est un peu un salon de lecture, chaque client s'amène avec son bouquin, son cours d'anthropologie ou un magazine, mais Marie ne vous laisse pas lire en paix. Dommage.

L'un de mes fantasmes se déroule dans une laverie. Je viens de publier mon premier roman, une jeune femme aux allures d'intellectuelle délurée est en train de le lire. Elle ignore évidemment que j'en suis l'auteur. Pendant qu'elle est plongée dans mon livre, je contemple le ballet érotique de ses sous-vêtements dans le hublot. Si elle dépasse la page 40, je m'approcherai d'elle, lui demanderai ce qu'elle lit, me présenterai modestement. Nous ferons connaissance, peut-être partagerons-nous le même tambour d'une même sécheuse. Si nous formons un couple, j'insisterai, en mémoire de la laverie, pour que nous fuyions vers le Sud, où luit le soleil, et là-bas nous mettrons nos draps à sécher sur des buissons de lavande.

L'ennui, c'est qu'il me faut terminer d'abord mon roman, avant de songer à le publier. J'ai raconté à Marie le deuxième chapitre auquel je travaille : le héros ouvre le couvercle de la machine dans laquelle il a enfourné son linge sale et trouve un fœtus noyé qui le contemple. Le fœtus est déjà bien formé, les membres, le nez, les oreilles, les orbites. Marie s'est mise à trembler, j'ai tenté de la rassurer, le bébé est une métaphore ! lui ai-je expliqué. Ce que mon personnage regarde, parmi ses chaussettes, ce sont les pages de mon manuscrit. « Même les écrivains font des fausses couches », ai-je insisté. En vain. Elle a quitté les lieux. Chez le Chinois, je n'ai pu avaler la soupe au menu. Des corps mous y flottaient en me narguant. « Marie m'a coupé l'appétit, ai-je tenté d'expliquer au garçon, c'est une vieille, elle manque d'imagination. »

L'âne du Luxembourg

« Vous permettez ? » Avec un petit effort, s'il veut bien retirer son pardessus, Julien pourra trouver une place à la table du coin. Le Descartes est bondé aujourd'hui. Un Japonais, qui obstruait le passage, se lève, sourit, s'excuse, fait une courbette. Face à lui Julien s'assied, commande le plat du jour, boudin aux pommes, avec un quart de rouge. Mais il ne peut se retenir : « Vous avez quitté Tokyo pour venir à Paris ? » Le Japonais lui avoue en rougissant qu'à Tokyo les Folies-Bergère n'existent pas. Julien est estomaqué. Les Folies-Bergère, le Crazy Horse, le Moulin-Rouge ! Il est à Paris depuis deux mois déjà et n'a pas songé un instant à ces plaisirs. « Vous êtes ici pour des danseuses ? » demande-t-il. Le Japonais en remet : « Haï ! Les filles belles, la musique, le sexe, non ? » Julien se dit qu'il a affaire à un vulgaire touriste.

« Je suis étudiant, lui précise l'autre, en chant d'opéra, avec Mme Gabrielle, ici, dans le quartier. » Mais Julien, facétieux, ne peut s'empêcher de demander, après une bouchée de purée : « Mme Gabrielle danse aux Folies-Bergère ? » Le Japonais rigole, manque s'étouffer avec son hachis Parmentier au canard, il trouve la remarque exotique, avale une gorgée d'eau, réplique : « Vous êtes français spécialiste du sexe ? »

Julien donnerait sa chemise pour répondre oui ! Le sexe ? Il a essayé un soir, dans un cinéma d'art et d'essai, pendant un film horriblement long, de toucher la main de sa voisine avec délicatesse, mais celle-ci l'a repoussé avec un tel dégoût qu'il est retourné rapidement dans sa coquille. Il se concentre, depuis, sur son manuscrit, évoquant parfois le souvenir de Miss Météo à qui jadis il apportait au studio, tous les après-midi, les prévisions du temps à long terme. Elle et lui s'étaient ainsi rapprochés, jusqu'à partager un même oreiller. Étrange collaboratrice qui avait des cycles d'amour semblables aux vents soufflant des Rocheuses, ses *happy hours*, disait-elle, qui la transformaient en pieuvre insatiable. Mais Julien, après ces séances, rentrait chez lui parce qu'il ronflait au lit comme une moto. Miss Météo tenait à son repos, prédire le temps à la caméra a ses exigences, lui répétait-elle en le mettant à la porte après leurs exercices. Julien retournait alors à ses calculs, s'endormant parfois au lever du jour devant son ordinateur.

En sirotant un café, les deux convives, qui n'ont plus grand-chose à se dire, échangent les photos de leurs fiancées. Yukiko a vingt ans, dit le Japonais, elle travaille dans une parfumerie française dans Shibuya, elle viendra le rejoindre au printemps. Miss Météo a trente ans, dit Julien, elle est spécialiste des orages domestiques dont il saurait traduire les probabilités en graphiques! Ils ont été séparés par décision administrative, mais elle ne viendra pas le rejoindre à Paris, parce que le dollar canadien ne vaut pas le yen. Le Japonais et le Québécois soliloquent.

«Vous avez le sommeil léger?» demande Julien à brûle-pourpoint. Le Japonais ne comprend pas la question. «Excusez, dit-il, mon français n'est pas à la perfection.» Pour le rassurer, Julien lui raconte qu'en tant que Montréalais le français lui est aussi parfois une langue seconde, c'est-à-dire qu'il met souvent plusieurs secondes à trouver le mot juste. «Peut-être marcher dans Paris ensemble?» Julien n'est pas contre.

Une heure plus tard, tout en suivant une ménagerie d'ânes et de poneys qui pénètrent dans le parc, les nouveaux amis se retrouvent au Luxembourg. Julien, qui vit enfermé tout le jour à écrire, est étonné de voir autant de badauds et d'enfants. Ils ont franchi les grilles du jardin sans but aucun. Le chanteur asiatique, un galurin blanc sur la tête, une canne à pommeau d'argent à la main gauche, balaie l'horizon. Julien va faire son éducation! Il n'y a pas que le sexe à Paris!

«Vous savez que Nathalie Sarraute a joué dans ce jardin quand elle est arrivée de Russie?» Le Japonais ignore le nom de Nathalie Sarraute et fait la moue. «Pour devenir écrivain, il faut avoir couru dans ces allées, du château à l'étang, loué un petit bateau à voiles, découvert l'amour maternel dans le soleil de midi, avoir pédalé sur un tricycle sous les marronniers. Voyez-vous, mon cher, le Luxembourg est le jardin d'enfance des écrivains.» Julien est inspiré. Il se prend pour un autre.

Le Japonais hausse les épaules, il ne comprend pas tout à fait. Dans le parc qu'il fréquentait, à Kyoto, les itinérants vivaient sous des tentes, il leur apportait, avec sa grand-mère, des casseroles de soupe aux algues. C'est au Pavillon d'or qu'il a compris, devant le phénix chinois, qu'il devait chanter. «À chacun son parc, à chacun son temple.» Julien ferme les yeux, il se revoit sur le Mont-Royal, mais le lac des Castors ne l'inspire pas vraiment. Inutile de discuter, l'Asiatique ne saisira jamais pourquoi Julien aurait voulu une autre enfance. «La comtesse de Ségur! Le Petit Prince! La littérature française est comme un territoire qui m'a échappé, voyez-vous, comme un château fort que je dois reconquérir», tente-t-il d'expliquer au chanteur d'opéra qui soudain s'excuse de devoir le quitter : c'est l'heure de sa leçon. « À vous entendre, ajoute le Japonais, je devrais étudier la musique en Italie ! » Ils n'appartiennent pas au même continent logique.

Julien reste seul, assis sur un banc. Il entre en lui-même. Il plonge, il s'absente.

Pendant que le Japonais filait par la rue Vaugirard vers la place Saint-Sulpice, des passants disent avoir vu un adulte monter un petit âne et arpenter au trot les allées du Luxembourg. Ses jambes étaient trop longues, ou l'âne trop court sur pattes, des enfants auraient même dansé la ronde autour de lui, en criant : « Don Quichotte ! Don Quichotte ! »

La Butte-aux-Cailles

Pourquoi tient-il ce crucifix dans sa main ? L'objet est lourd et laid, le christ de métal cloué sur un bois de noyer poli se tord de douleur. « Pur art sulpicien, monsieur ! » lui affirme le brocanteur. Julien remet l'objet sur la table entre une pile d'assiettes anciennes et de petits paysages à l'huile d'origine douteuse. L'écrivain n'a aucune envie de placer au-dessus de la porte de son studio une icône religieuse, et pourtant il a repéré et soupesé cette croix dans le bric-à-brac devant lui comme s'il souffrait d'une étrange faim spirituelle.

En arrivant à la Butte-aux-Cailles, Julien a découvert des douzaines de brocanteurs et des riverains qui se partagent les trottoirs. Les professionnels ont étalé leur marchandise sous des auvents, les autres ont vidé leurs greniers (à chacun sa nostalgie) en empilant cassettes vidéo, jouets et vêtements sur des nappes de plastique étendues à même l'asphalte.

Une foule bigarrée, où se côtoient touristes étrangers et bourgeois excentriques, se presse de haut en bas de la Butte. «Chacun trouve ici un trésor, se dit Julien, une lampe Art nouveau, une pièce de monnaie étrusque, une poupée de porcelaine, un moulin à café 1900, et voilà que moi je ne déniche qu'un crucifix!» En colère contre lui-même, il enfonce ses mains dans les poches de son blouson et poursuit sa quête.

Julien n'a jamais rien collectionné dans son enfance, ni timbres, ni cartes de hockey, ni figurines du Far West, il a vécu dans la gêne, cette pauvreté le rattrape. Des adultes autour de lui se bousculent devant des tiroirs de cartes postales anciennes, d'autres examinent à la loupe des boîtiers de montres en or. «Je me sens nul, incapable de voir parmi ces centaines d'objets, tous plus laids les uns que les autres, celui qui scintille, l'objet unique, extraordinaire, inattendu, qui devrait me parler!»

En réalité, Julien s'imagine visiter un vaste cimetière de bibelots. Il pleure sur ces familles disparues qui ont reçu en cadeaux de mariage ou d'anniversaire cette statuette de plâtre, cette poivrière verte en céramique, ces horribles cendriers aujourd'hui ébréchés. Il voit les brocanteurs comme des vampires dépossédant les grands-mères pour garnir leurs bazars. « Et ces clients qui achètent des lambeaux du passé pour ne pas mourir ! »

L'écrivain se sent, petit à petit, transformé par la brocante en sociologue du dimanche : cet Allemand en train de négocier un modèle réduit de char d'assaut américain espère-t-il rejouer la Seconde Guerre mondiale ? Ces Italiennes en manteau de fourrure, manipulant des vases chinois dont le prix ne semble aucunement les gêner, sauront-elles débourser d'un coup ce que lui coûtent quatre semaines de séjour ?

« Pourtant il y a quelque part dans cette brocante un objet qui m'attend, je le sais, je le sens ! »

Julien fouille dans des étagères qui débordent de livres reliés pleine peau, palpe les œuvres de Victor Hugo et parcourt un manuel du parfait confesseur, mais pourquoi acheter un livre quand on tente soi-même d'en rédiger un ? Tout à côté un bac rempli de romans contemporains à cinq sous le nargue. Une petite pluie froide se met à tomber, il cache sa désespérance sous un parapluie automatique *made in China*.

Venue de l'arrière, une odeur de crêpe le titille par surprise, l'attire jusqu'à un comptoir où il commande un verre de cidre et une galette fromage-jambon. Il est enfin dans son élément. Manger le rassure, il reprend des forces. S'essuyant les lèvres d'une serviette de papier, il décide de ne quitter les lieux qu'après avoir acquis quelque chose. N'importe quoi. Pour le principe. Un vieil atlas peut-être, en souvenir de son ancien métier, ou un stylo de collection, pour le nouveau, il ne sait pas bien.

C'est dans l'encoignure d'une porte qu'il fait la découverte du jour, le cœur battant. Une vieille dame, enroulée dans un châle de laine, a étalé sur une nappe blanche défraîchie un ensemble de médailles militaires d'origines diverses, soviétiques, belges, françaises. Julien comprend immédiatement qu'elles n'attendaient que lui. Il se penche, choisit avec soin un ruban tricolore au bout duquel pendouille une étoile de bronze et l'acquiert pour une bouchée de pain.

Il n'est pas peu fier : il rapporte de la brocante un petit cadeau pour apprivoiser son militaire américain !
« C'est ce dont Drinkwater aurait pu rêver : la reconnaissance de la France épinglée sur son uniforme de

73

marine! Indochine et Vietnam, même tragédie!» Revenant sur ses pas, vers la station de métro, Julien ne jette même pas un regard au crucifix qui gît toujours à côté des assiettes de faïence.

Dimanche matin, je suis sorti un petit
peu dans le quartier, j'ai acheté un pain
aux raisins. La journée était douce,
mais un peu triste, comme souvent le
dimanche à Paris, surtout quand on ne
croit pas en Dieu.

MICHEL HOUELLEBECQ

Tout est relatif

Il y avait du frimas sur les toits et du vent dans les arbres. Les ramiers, enfouis dans les branches des mélèzes, se serraient les uns contre les autres. Pas une fleur n'avait résisté dans les jardins. Les pigeons des rues formaient des rangs immobiles sur les arêtes des lucarnes. Les crottes de chien, gelées, étaient figées sur les trottoirs. Ici et là une colonne d'évacuation avait éclaté et transformé ses eaux usées en glaçons grisâtres. La fontaine de la gare du Luxembourg hoquetait, blanche comme un nuage. Dans le bassin de la place Saint-Sulpice, protégé par des lions de pierre, des enfants patinaient sur les surfaces vives. À côté de l'église un manège en musique et lumières tournait dans le vide entre les bourrasques. Paris en janvier.

Il s'était mis à neiger, une petite neige studieuse, polie, prudente, civilisée, qui s'incrustait sous les portails et dessinait des sentiers sur les pavés. Le froid était si vif qu'un autobus, rue de Rennes, après un arrêt au feu rouge, n'avait pu repartir. Panne totale. Julien en descendit, il était lui-même frigorifié, son manteau ne suffisait plus à la tâche, pourquoi n'avait-il apporté bottes et anorak ! Les rares passants marchaient à grands pas. Que faire ? « Je suis un crétin absolu, pensait-il, je vais attraper une bronchite, une pleurésie, une pneumonie, mon *coup de mort*, ce n'est pas un temps à mettre un poète dehors, et le studio qui ressemble à la glacière d'une morgue ! »

Il se répétait, comme un mantra : « Jamais je n'ai eu aussi froid, jamais je n'ai eu aussi froid », mais cela ne le réchauffait pas.

Julien se réfugia dans un bistrot, commanda un grand bol de café au lait, choisit une table qui lui permît de s'appuyer le dos au radiateur, ouvrit le journal. Rien pour le rassurer : la vague de froid qui submergeait l'Europe n'était pas sur le point de disparaître. Les trains étaient bloqués à cause du verglas, les automobilistes passaient la nuit dans leurs voitures ensevelies sous la neige, les clochards mouraient sous leurs abris de carton, les légumes gelaient sous les bâches des camions et allaient être invendables, les centrales atomiques menaçaient d'imploser, Julien se mit à respirer avec difficulté. Il se savait hypocondriaque, mais il se sentait devenir parano, quelqu'un quelque part voulait l'empêcher de rédiger son œuvre.

À midi il quitta le café pour s'engouffrer dans un cinéma. Le froid allait certainement lui dévorer ses économies de la semaine, son budget de liberté, ses apéros au comptoir, ses repas chez le Chinois, mais il ne voulait pas en mourir. La salle lui parut surchauffée, il n'allait pas se plaindre ! Il sourit en sentant la vie revenir dans ses doigts gourds et le sang se rendre au bout de son nez. Il choisit un siège tout près de l'écran, retira son manteau, s'ébroua, défit les lacets de ses bottillons, agita ses orteils avec délices. La séance venait à peine de débuter, on en était encore, dans la pénombre, à vendre à l'écran des parfums, des voitures, des portables et des desserts glacés. Il haussa les épaules, s'enfonça dans le siège de velours, ferma les yeux en attendant le long-métrage.

Quand Julien se réveilla, la salle noire était bondée, des voisins l'encadraient, un assassin à l'écran égorgeait sa victime, essuyait son couteau sur sa veste, des soldats mitraillaient une foule affolée, un char d'assaut explosait, le phosphore et le napalm éclataient en couleurs chaudes. Il mit un certain temps à se resituer. Il avait mouillé sa chemise en dormant, il s'ébroua, s'apitoya sur l'humanité souffrante. Le générique défila en musique, il rafla d'une main ses gants et son écharpe pour suivre les spectateurs vers la sortie.

Boutonnant son manteau, il enfouit sa tête dans un bonnet multicolore qu'il avait acheté à un Péruvien. Le blizzard soufflait toujours. L'humidité le saisit par les épaules et le rappela à son triste sort. Son prochain livre, il l'écrirait en Floride ! Dans une entrevue à Radio-Canada, Michel Tremblay avait raconté le plaisir de travailler là-bas, sous les palmiers. Hélas, le cœur du problème de son personnage à lui se situait en France ! Ce que Drinkwater refusait, c'était d'être un Boileau en Amérique, un *goddam French Canuck*, ce drame avait pris naissance sur les côtes de Normandie, cela n'avait rien à voir avec les plages des Keys.

Au coin de la rue, un Africain, bonnet de laine enfoncé sur la tête, poussait avec son balai vert des détritus vers le caniveau. Julien se sentit comme un immigré loin de ses foyers. C'est alors qu'il eut l'idée de téléphoner à Sylvaine, Miss Météo de la chaîne nationale, avec laquelle il avait partagé jadis des tempêtes d'amour. S'engouffrant dans une cabine publique en verre, Julien réussit à rejoindre une téléphoniste canadienne, à faire accepter les frais, à parler au studio, mais sa belle amie donnait en ce moment même, lui dit-on, les prévisions en direct, à la caméra, de l'autre côté de l'Atlantique. La cabine s'embuait, il se sentait renaître. « Et qu'annonce-t-elle ? » demanda Julien pour ne pas couper le cordon ombilical. « Moins vingt-sept degrés centigrades, sans facteur éolien », lui répondit le technicien. Julien remercia, raccrocha, enleva sa tuque, une douce chaleur lui remontait dans le dos.

Le taxi

L'autobus mettait un temps infini à arriver. J'avais beau m'étirer le cou, je ne voyais rien venir. J'étais seul depuis trente minutes dans l'abribus, le vent soufflait un air vicié, je tremblais de froid quand j'ai pensé soudain à vérifier les horaires sur le panneau de verre : il n'y avait pas de service les dimanches et jours de fête ! J'aurais dû m'en douter, tout le monde cherche à faire des économies, et pourquoi pas la RATP ? Avait-on liquidé les chauffeurs les plus âgés ? Avait-on envoyé à la ferraille les autobus qui avaient survécu à la guerre ? Mon ministère avait bien éliminé ses employés les plus expérimentés avec l'arsenic des primes de départ, et si j'avais eu ma part, ce n'était pas pour attraper la crève au coin du boulevard Saint-Martin ! Devait-on mettre ses jours en danger pour une exposition excentrique d'art africain ? J'ai compté mes sous, je pouvais payer un taxi si je sautais le *lunch*.

Dès que j'ai levé la main une voiture a stoppé, comme si elle avait attendu que je me décide. Le chauffeur, un petit gros, était accompagné sur le siège du mort par un énorme chien qui se tenait en boule sans broncher, la pelade lui avait dessiné des îlots dans le cou et jusque sur le dessus de la tête. Le petit gros, dans sa voiture chauffée, roulait sur un nuage, sans pitié pour les passants frigorifiés. « Vous avez froid, mais vous êtes canadien ! Je ne comprends pas », il était hilare. Comment lui expliquer que le froid du Canada vient de l'Alaska, qu'il est sec et franc ? « J'ai un client canadien que je conduis régulièrement, vous le connaissez ? » Comment pouvais-je lui expliquer que nous sommes quelques millions sur de vastes terres, que je ne fréquentais personne à Paris, et encore moins le riche client régulier d'un taxi ! Le chauffeur ne tarissait pas. Ce client était une vedette de la télé, j'avais dû le voir faire des grimaces chez Drucker le samedi soir !

Je l'ai senti profondément déçu quand je lui ai expliqué que je n'avais pas de téléviseur dans mon petit studio. Il s'est sûrement dit « c'est un pauvre, le pourboire sera léger ». J'ai voulu m'excuser : « Je suis écrivain, je dois éviter la télévision, vous comprenez ? – Ah ! c'est autre chose, a-t-il répliqué, vous écrivez des romans policiers ? J'adore les romans policiers ! » Je n'allais pas le décevoir à nouveau. « Comment les choisissez-vous ? » Le petit gros m'avoua mettre la main sur les livres qu'abandonnaient ses clients sur la banquette arrière, il lui arrivait aussi de lire de la philosophie, mais le plus souvent des polars. « Et la poésie ? » Cela ne lui arrivait jamais. Les poètes ne montent pas en taxi, me suis-je dit. J'aurais dû faire de même !

Nous arrivions en fin de course, près de Montmartre ; le petit gros a arrêté voiture et compteur. Le chien s'est mis debout un instant, a pété et s'est recouché. Une odeur nauséabonde s'est répandue dans la voiture surchauffée, j'avais une soudaine envie d'air frais, le petit gros s'est retourné vers moi : « Cunégonde a quinze ans, elle est malade, mais je ne puis m'en séparer, depuis le temps que nous faisons le taxi ensemble, vous comprenez... » Je comprenais. Cunégonde laissa filer une nouvelle flatulence. Le silence devenait lourd. « Combien vous dois-je ? » Il m'a regardé dans son rétroviseur en rougissant. « Rien, vous ne me devez rien ! Quand vous aurez publié, laissez votre livre sur le siège arrière d'un taxi en pensant à Cunégonde, c'est tout ce que je vous demande. » Ému de voir qu'il avait confiance en mon talent, j'ai caressé du bout des doigts la tête de sa compagne avant de me jeter dans le froid, puis j'ai pensé : « Je suis assez riche pour manger chez le Chinois ce soir ! » Du chien peut-être ?

L'amour

Plus que dans toute autre capitale, le temps à Paris est imprévisible. Souvent la pluie s'approche sur la pointe des pieds, toute fine, puis elle insiste, s'installe, s'alourdit, peint la moindre façade en gris souris et prend des airs d'éternité. Les pavés font, selon les rues, le dos rond ou le ventre mouillé. Les passants gardent la tête baissée, mais ne savent plus comment se protéger. Seuls les chats sont patients, ils attendent dans une encoignure, à l'abri, le vent qui un beau matin va renverser les tables et les chaises de jardin, ridiculiser les parapluies, nettoyer le ciel et ramener le soleil. Le temps à Paris ressemble aux postures des intellectuels : gauche, droite, pas de compromis, jamais de demi-mesure.

Hier Julien avait si froid qu'il portait des gants pour écrire, une écharpe de laine au cou, deux paires de chaussettes aux pieds. Puis il y eut vers minuit une bourrasque de vent qui arracha quelques antennes de télé, un anticyclone s'amena des Açores, le temps s'adoucit. Le lendemain, à la fin de la journée, Julien est sorti dans l'air tiède comme un souffle du désert. Tout étonné de la qualité de la lumière, il a erré, flâné, s'est retrouvé sur le pont Notre-Dame, appuyé au parapet, les yeux embués par la beauté des lieux. Les lueurs mauves des néons se découpant sur un ciel orange lui ont arraché un soupir. Julien est un vieil émotif. Il pleure volontiers au cinéma comme au concert, il n'a jamais eu honte de ses sentiments.

Ce soir Julien veut de l'amour, comme le criait dans sa chanson Charlebois, son concitoyen, lui qui n'a pourtant rien d'un rockeur. En fait, il chasse du regard les amoureux sur les trottoirs, il cherche des clones, s'engouffre dans la section parfumerie d'un grand magasin, étourdi par les effluves capiteux, inquiet des têtes des vendeuses maquillées comme des cadavres. Mais les couples qui s'aspergent d'eau de Cologne ou approchent en grimaçant leurs narines de flacons dorés sont seuls au monde, Julien tout autant.

Ce serait une perte de temps d'aller draguer dans un bar à la recherche de l'âme sœur. Il n'a pas de temps à perdre à conter fleurette, sa seconde carrière s'annonce difficile, il n'a pas encore terminé le premier jet de son roman. Et puis il y a les couloirs du métropolitain qui lui offrent des possibilités inouïes, une humanité multicolore, une énergie qu'il veut happer, un monde dans lequel se fondre. Il hante la station Saint-Michel, en explore les étages, les escaliers mécaniques, l'ascenseur, les foules qui se ruent d'une ligne à l'autre, les quais balayés par le souffle des trains. Un fumet de caoutchouc brûlé flotte dans l'air.

La station Châtelet est devenue, quand Julien comme ce soir veut de l'amour, un terrain privilégié, même s'il est parcouru par des CRS aux bottes luisantes, armés parfois de mitraillette, déambulant par trois dans leur uniforme bleu nuit. Ici il croise un chien de garde qui tire son maître par la laisse, là de très vieilles personnes dans de très vieilles chaussures, un bébé endormi dans les bras de son père, mais ce qu'il cherche ce sont les couples qui se tiennent comme des lutteurs enchevêtrés, bras dessus bras dessous, se caressant le cou, se tenant par la taille, titubant presque de bonheur.

« Ils ne doivent pas savoir que je les espionne, que je les observe, que je bois leur amour, que je dévore leur liberté, leur frénésie, leur jeunesse. Ils croient inventer le monde, ils ne font que le recommencer sous mes yeux.

Elle dans son manteau noir étriqué à col de fourrure, pantalon de coton délavé, lui portant fièrement un blouson kaki, des jeans qui flottent, elle juchée sur des talons trop hauts, trop minces, qui trébuche et serait tombée de tout son long s'il n'avait été là, dans ses baskets, pour la rattraper. »

Julien les suit. Ils s'embrassent, elle enfouit en riant sa tête sous l'épaule de son compagnon qui lui ébouriffe les cheveux, ils fusionnent. Le garçon, envahi par un flux de testostérone, lui lèche le lobe de l'oreille, colle ses lèvres sur sa joue, elle minaude, ils meurent de désir. Julien les dépasse et va s'asseoir dans une coquille de plastique rouge sur le quai. Ils font de même, un seul siège pour deux, elle monte à cheval sur le garçon, mais elle est vite désarçonnée, la rame arrive, ils s'engouffrent dans le train. Julien les laisse filer vers leurs ébats. Il retourne en gare.

Une petite blonde avec un béret vert accroche son regard, elle accompagne un grand adolescent dégingandé, pur produit de jus d'orange matinaux et de céréales américaines, qu'elle caresse sans retenue, jetant vers Julien un coup d'œil pour s'assurer qu'il la regarde faire. Le garçon tourne le dos à Julien et n'est pas conscient du manège de la fille, celle-ci rigole en tentant d'enlever à son compagnon sa ceinture de cuir et l'entraîne vers un Photomaton. Les deux s'engouffrent dans la cabine.

Derrière le rideau le couple s'affaire, elle s'est assise sur lui, la culotte sur les mollets, puis elle agite sa main à travers le rideau, vers Julien qui s'empresse de glisser de la monnaie dans la fente en nickel de l'appareil. Le flash électronique surprend l'ado qui pousse un cri, puis la fille et le garçon rient tous les deux, flash, flash, flash ! Les yeux encore aveuglés, ils se rhabillent tant bien que mal, sortent en courant de la cabine, la petite blonde salue Julien au passage, sans se retourner.

Julien, le cœur battant, attend les photos. L'appareil crache une languette de quatre clichés. On ne voit pas grand-chose, une épaule et le bout d'un béret, un visage flou trop blanc, la bouche ouverte, une chevelure, un œil rieur. Mais Julien est heureux, la chasse a été bonne, il a trouvé une complice qui lui a donné ce qu'il cherchait, un triangle amoureux comme dans les romans de gare.

La chaleur du papier

Julien ignorait presque tout des règles de la composition romanesque. Il ne pouvait savoir qu'un personnage de fiction, comme un adolescent, lutte parfois pour assurer son autonomie. La vie sur le papier crée sa propre logique, l'auteur n'y règne pas toujours comme Dieu le père.

Quand il décida qu'il était temps, dans son récit, de mettre fin aux jours d'Angèle Boileau, il imagina d'abord qu'elle pourrait être inhumée dans le village de ses ancêtres, à Port-au-Persil, sur la rive sud du fleuve Saint-Laurent. Après avoir décrit la cérémonie de l'incinération, il pensa donc confier l'urne cinéraire à Gerry, son fils. C'est à cet instant qu'il comprit son erreur. Gerry refuserait d'aller au Canada, il ne pouvait logiquement que retourner au Vermont avec les cendres de sa mère, et mettre l'urne en terre au pied d'un monument de la Drinkwater Marble Co., sa société. Plutôt que de se lancer dans la description du cimetière marin et de l'élégante église québécoise, Julien devait maintenant inventer un paysage américain. Or il avait négligé de faire les recherches nécessaires : le cimetière catholique de Montpelier était-il sur les hauteurs ou dans la vallée ? Un roman, comme celui qu'il tentait de concevoir, devait-il se soumettre à la réalité ?

Par ailleurs, l'idée que Gerry Drinkwater devrait, pour perpétuer la mémoire de sa mère, graver lui-même le nom de Boileau dans le granit ouvrait des perspectives insensées ! Car ce Gerry disposait sûrement, dans ses bureaux, d'un catalogue d'épitaphes traditionnelles dont aucune ne pouvait convenir à un fils qui honnissait sa mère ! Allait-il laisser la pierre anonyme ? La situation méritait d'être explorée.

L'ennui, c'est que plus Julien avançait dans son roman, moins il y voyait clair. Il n'avait pas prévu le labyrinthe de contradictions dans lequel son héros allait s'enfoncer. Ce travail de rédaction était aussi imprévisible qu'autrefois la description des couleurs du temps. « Estce que je perds la boussole ? » murmurait-il pour luimême. Ce n'était pas ainsi qu'il avait imaginé la liberté de l'écrivain. D'ailleurs, était-il vraiment libre ? Est-ce que ce n'était pas Drinkwater qui menait la barque ?

Julien rédigeait un épisode après l'autre, dans le plus grand désordre, et il empilait les feuillets par petits tas qu'il étalait autour de son lit. L'ensemble ressemblait d'ailleurs à un cimetière, vu à vol d'oiseau, dans lequel il abandonna momentanément son personnage pour aller faire des photocopies, afin de construire différentes hypothèses.

Le quartier dans lequel Julien habitait regorgeait de magasins de reprographie dont les prix variaient selon l'âge des appareils. Il choisit donc, par esprit d'économie, les photocopieuses les plus vétustes et s'agita sur trois machines à la fois pendant une quarantaine de minutes. Les autres appareils étaient monopolisés par deux étudiantes qui piquaient, dans des livres anciens visiblement empruntés en bibliothèque, les citations nécessaires pour étayer leurs travaux universitaires. Julien ne leur jeta qu'un coup d'œil distrait. Elles étaient trop moches toutes les deux.

Après avoir payé à la caisse, légèrement étourdi par le bruit infernal des machines et l'odeur âcre des encres chimiques que surchauffaient les lampes photographiques, Julien finit par assembler ses pages et s'étonna de la douce chaleur qu'elles dégageaient. Il saisit alors à deux mains le paquet de photocopies qu'il serra fort contre sa poitrine : la littérature le garderait enfin au chaud ! Et il s'en fut dans la grisaille de la rue.

Le rythme

Il y a des cités babouches, et d'autres plutôt baskets. Des villes où il fait bon flâner, d'autres nerveuses comme des biches. Paris est une ville à plusieurs tempos. D'un côté les touristes, plan de ville à la main, cherchent à se retrouver dans les rues anciennes, ils avancent lentement, par grappes, s'agglutinent aux feux rouges, incertains de la direction à prendre. Les indigènes se comportent différemment, en particulier les étudiantes du quartier universitaire qui font claquer leurs talons avec force. Elles martèlent l'asphalte, vous poussent dans le dos, Dieu qu'elles savent où elles vont !

Souvent, quand je traîne les pieds sur le trottoir, j'entends arriver derrière moi des pas dont je sais, à leur rythme, qu'ils appartiennent à une Parisienne. C'est sans doute une question d'énergie, elle frappe le sol, cloue le passage, s'affirme, alors j'accélère, je lui tiens tête, il n'est pas question qu'elle me dépasse, je ne la laisserai pas me dominer, nous sommes engagés sur un circuit de course à pied, une compétition se dessine, elle me talonne, comment est-elle ? Grande, petite, boulotte, élancée, maigrichonne, rabougrie, élégante, obèse, habillée de noir ou de couleurs ? Porte-t-elle un sac sur l'épaule ?

À la vitesse qu'elle déploie je serais étonné de la voir chargée de bagages. Elle me pousse dans le dos, le trottoir est étroit, je presse encore plus le pas, j'évite des échafaudages qui vont la retarder certainement, mais elle saute dans la rue, je sais, je sens qu'elle va me dépasser. Alors Julien, qu'est-ce que tu paries ? Une blonde, une brune, une rousse ?

Nous voilà côte à côte au carrefour, attendant le passage du feu au vert, elle est toute rouge de l'effort fourni, je suis essoufflé tant j'ai accéléré, je suis même cramoisi. Nous ne nous regardons pas encore. Elle s'élance malgré le feu rouge, je lui emboîte le pas, ah ! elle porte des bottines lacées dont les talons doivent être de marbre pour produire tant de bruit ! C'est une grande, de dos je dirais dans la vingtaine, ses cheveux frisottés se soulèvent à chaque pas comme une queue-de-cheval, sa veste flotte au vent, j'avais raison : elle n'a qu'un sac sur l'épaule. Or pendant que je la détaille elle gagne du terrain, véritable métronome urbain.

Bon, je vais la rattraper, je veux voir sa tête, lui sourire en la dépassant, lui dire toute mon admiration pour sa foulée digne d'une jument de race, mais la rue amorce une pente rapide, elle en profite, sait-elle même que je la suis ? Châtains, ses cheveux sont châtain clair, sa peau est trop blanche, poudre de riz ? Elle gagne du terrain, le diable l'emporte, j'ai vu sa joue, son regard m'a échappé, s'en va-t-elle rejoindre un amant ?

C'est ce qui lui donne sans doute ce pas, c'est le rythme du cœur, c'est le mouvement du sexe, elle baise la ville, je vois bien ses fesses qui oscillent de gauche à droite et reviennent me narguer, c'est un grossier racolage, mademoiselle, moi j'avance sur des semelles de crêpe, tout en douceur, je suis un littéraire, moi, je vous trouve bien prétentieuse, si vous voulez le savoir, avec vos coups de talons affirmatifs comme si vous aviez toujours raison !

Allez ! Filez ! Je ne vous suis plus, le jeu est terminé, mademoiselle, je vous coucherai sur le papier, je vous inventerai d'autres mouvements, je ralentirai votre cadence, je vous persuaderai du plaisir qu'il y a à déambuler, épaule contre épaule, en toute intimité, je ne suis pas à la hauteur de votre rythme, la prochaine fois je choisirai une cité pantoufles. Je rentre chez moi.

Mais qu'est-ce que j'entends derrière ? Une nouvelle provocation ? Très bien, voyons voir, taque-tac-quetac, c'est encore une Parisienne dans la vingtaine, allez Julien, tu ne vas pas te laisser doubler par ces bruits de talons ! Et si je m'achetais des baskets, peut-être pourrais-je tenir le coup ? J'aurais les chevilles plus souples, le pas alerte, je prendrais enfin le rythme de Paris ! Et puis, qu'elle me dépasse si elle y tient tant ! Je n'ai plus l'âge de ces jeux de trottoirs que je perds tous les jours.

Nicolas

Je ne voulais pas avoir l'air *cheap* ni bourgeois non plus, mais quand je suis passé chez Nicolas, le marchand de vin, j'ai opté pour trois bouteilles à petit prix, des vins de pays. Les millésimés les auraient peut-être effrayés. J'avais repéré mes invités avec soin, je m'étais promené le long de la Seine (il y a encore quelques quais que l'automobile n'a pas usurpés), j'avais aussi fouillé les abords des parcs et certains fonds de cour pour retenir un petit groupe de sans-abri qui m'avaient paru sympathiques.

Comment les aborder? J'ai choisi la simplicité, genre « Bonjour, est-ce qu'on peut boire un coup? » et du même mouvement j'ai déballé mon cadeau. Ils ont d'abord grogné. Le plus âgé a répondu: « Nous ne buvons pas avec n'importe qui! » Ils se tenaient autour d'un matelas taché, protégés du vent par une construction précaire en carton, entourés de quatre chariots d'épicerie remplis jusqu'à ras bord de sacs gonflés comme des ballons usés. J'ai osé : « Je suis canadien, je m'appelle Julien, je visite la ville, j'avais soif, j'ai pensé partager un cadeau avec vous, ça peut aller ? » Ils ont eu l'air ravi.

À ma grande surprise, l'un des clochards était une clocharde qui avait égaré ses attributs sexuels dans ses haillons. Elle affichait un visage écarlate et des yeux embués, je ne comprenais pas un mot de ce qu'elle me racontait, l'émotion éthylique lui donnait un accent étrange. Nous buvions tous les quatre au goulot, je m'essuyais le bec autant que possible, mais si j'avais été plus prévoyant j'aurais apporté quatre bouteilles, question prophylaxie.

Quand le plus âgé, celui qu'ils appelaient Hervé, s'est déplié en se levant, j'ai découvert avec stupéfaction que je lui arrivais à peine aux épaules. Sa barbe blanche et ses cheveux hirsutes lui dessinaient une tête de prophète des égouts. Il s'est mis à déclamer de l'allemand, mais peut-être était-ce une langue slave ? Denis, le troisième larron, plus jeune que ses collègues, à peine amoché par la vie au grand air, me tenait par le coude comme s'il avait peur que je me sauve. « Vous êtes pas journaleux ? On aime pas les bavettes. » J'ai dit : « Vous inquiétez pas, votre compagnie me suffit, j'écris un roman qui se passe aux États-Unis. »

Ils ne m'ont pas parlé des pipes de Clinton ou des armes de Bush, ils ne causaient pas beaucoup. Les Américains leur semblaient peut-être lointains. Tous trois, la veille, avaient établi leur campement sous la statue d'un général. Pour l'instant ils squattaient l'entrée d'un immeuble désaffecté, mais déjà les lieux puaient l'urine et le vomi, je comprenais que le vin leur soit nécessaire. Mais je n'allais pas me plaindre : n'étaient-ils pas mes premiers amis parisiens ? Je les avais choisis parce que c'étaient eux, parce que c'était moi.

Évidemment ils se sont intéressés à mon accent, moi au leur, ils désiraient savoir s'ils pouvaient avoir une meilleure vie au Canada. « On pourrait partir avec toi là-bas ? » Je les imaginais dans les neiges, avec leurs habitacles de carton, dormant à moins vingt degrés sous dix couvertures de laine. « Moi je suis déjà été au Canada », a dit la femme, Élisabeth qu'elle se nommait, en me regardant avec insistance comme pour me convaincre. « Elle est jamais allée plus loin que le faubourg Saint-Denis ! Babette, tu rêves ! Tu te crois dans une pub d'Air France ! T'as pas d'autre pinard, Julien ? »

J'ai fait oui de la tête, « Je reviens », pas compliqué de faire le plein, il y a autant de Nicolas à Paris que de McDo à Washington. Je ne voulais pas avoir l'air radin, je savais que je portais sur mes épaules la bonne réputation de mon pays, je suis allé au premier Nicolas venu reprendre le même vin de pays, une bouteille de plus cette fois, j'en avais assez de cracher des microbes, et on a continué à trinquer à leur immigration dans les glaces.

C'est compliqué de vivre seul à Paris, qui n'est pas un petit village. Je n'aurais pas pu sonner à une porte au hasard et m'inviter chez des inconnus pour manger une choucroute ! La seconde tournée a été plus difficile. Le prophète teuton avait le vin agressif, Babette s'accrochait à ma braguette en délirant, elle disait avoir réussi ses examens de lettres à Clermont-Ferrand, le Denis s'était réfugié derrière le muret en se glissant une veste sur la tête, il pleurait.

À la fin le pape a lancé sa bouteille vide dans la rue, il a heurté l'enjoliveur d'une Mercedes et a décrété qu'ils devaient lever le camp sur-le-champ. Les deux autres ont renâclé, mais ils ont rapidement ramassé leurs possessions, et nous sommes partis à la queue leu leu avec les chariots, comme dans les westerns. Je fermais la marche, nous avons franchi un boulevard et marché au moins deux kilomètres avant de nous glisser sous les structures d'acier du métro aérien. Pendant que mes amis construisaient leur château fort autour d'un pilier, j'ai entendu : « Julien, tu vas nous chercher du pinard ? » Je suis parti en haussant les épaules, les mains dans les poches, sans me retourner.

Je me sentais déjà moins seul, ils m'avaient offert un bout de saucisson sec, on avait devisé de l'omniprésence des bagnoles, ils s'étaient intéressés à moi au point de vouloir m'accompagner au Canada, mais je savais bien que de tous les amis parisiens qu'ils fréquentaient, le seul auquel Denis, Babette et le Prophète tenaient vraiment se nommait Nicolas.

Le Louvre

Une fois par mois, l'entrée au Louvre est gratuite. Le plus grand musée du monde (comment peut-on mesurer la grandeur en art?) devient pour la journée le refuge calorifique de Julien, qui aime se perdre dans les collections, sans plan ni but avoué. Il traîne des heures en Égypte, revient dans la France du Moyen Âge, va flâner un moment en Italie. C'est pour lui une façon subtile de tâter de l'universel, de vérifier ses connaissances, de s'émouvoir aussi parfois.

Aujourd'hui Julien s'est égaré dans les grandes salles rénovées consacrées à l'art français dans lesquelles des tableaux surdimensionnés présentent, signés par d'illustres inconnus, des paysages délirants habités de bergers, de nymphettes ou de satyres. Cette peinture ne l'étonne pas, ne lui parle pas, les drames antiques, les radeaux en danger, les décollations réussies, les mariages princiers ou les combats mythiques l'ennuient. Ce qui le touche, en revanche, c'est la tristesse de la gardienne, assise toute droite sur sa chaise officielle, le regard perdu dans le vide.

La jeune Noire est entourée de chefs-d'œuvre, mais elle est aux abonnés absents. Son visage est si beau, sa peau d'ébène si lisse, ses traits si symétriques que Julien lui trouve la grâce des masques africains classiques. Elle n'est pas la seule Noire à garder les antiquités françaises pour gagner son pain. On pourrait même croire que la République a fait venir une tribu entière pour assurer la sécurité de ses trésors. Qu'aurait-elle fait si elle était restée au village ? se demande Julien qui l'imagine pilant du mil, nettoyant le sol battu devant les cases, un pagne sur les hanches, les seins au soleil. Il pense qu'elle pourrait aussi danser pendant des heures au son des tambours avant que les hommes ne partent à la chasse au lion. Son Afrique est inspirée des bandes dessinées. Moi Tarzan, se dit Julien, toi qui ?

Et voilà que la gardienne et lui sont seuls dans la salle n° XIV. S'approchant pour lire la notice sous un tableau où batifolent des anges joufflus, Julien frôle l'épaule de la statue exotique qui lève la tête vers lui, il s'excuse, fait un pas de côté et sans réfléchir ose un « Puis-je vous offrir un café?» inattendu. La gardienne sourit. «À la demie, c'est mon temps de repos, je veux bien. – Je vous attends alors», fait Julien qui se dirige vers une banquette aux coussins de velours placée au beau milieu de la salle pour favoriser la contemplation artistique. Mais Julien contemple la gardienne des arts sans se cacher, elle le sent, elle le sait, se lève de sa chaise et entreprend une lente promenade le long des murs. *Diane au bain*, de l'ineffable François Boucher, regarde passer la Vénus noire dont la beauté lui fait envie.

Mais voilà que débouche dans la salle n° XIV un banc de touristes, bouches ouvertes comme s'ils étaient tous myopes, à l'écoute du commentaire enregistré qui défile dans leurs audioguides. La gardienne poursuit nonchalamment son parcours, aucun visiteur ne lui accorde la moindre attention, chacun a le nez braqué sur les tableaux, personne d'autre que Julien ne semble reconnaître la Beauté qui passe devant les cadres dorés.

«En quel honneur cette aimable invitation?» demande Marie-Laure (c'est le nom sur le badge) à Julien dont les mains tremblent un peu. La cafétéria du Louvre est semblable à celle des Nations unies, des douzaines d'ethnies, autant de langues, des visiteurs de toutes les origines, de toutes les couleurs, de tous les âges. Mais les tables sont trop rapprochées, c'est comme si on mangeait dans l'assiette du voisin, Julien parle tout bas pour créer un peu d'intimité et il a la chance d'être assis à côté d'un couple de Japonais, qui sont toujours d'une discrétion exemplaire.

Alors il plonge : « Mademoiselle, lui murmure-t-il, je tenais à vous le dire, vous êtes sans doute le trésor du Louvre. » Trésor, joyau, perle, richesse, ornement, fortune, les mots se précipitent. Si la gardienne rougit, il n'y paraît pas, question de peau sûrement, Julien se sent un peu ridicule d'emprunter le langage convenu des historiens d'art, mais il n'a aucune expérience des femmes africaines. « Si j'étais le directeur de ce musée, je vous consacrerais, à vous seule, toute une salle ! » La jeune femme n'a pas l'air de partager son enthousiasme. Aurait-il dû lui offrir un bijou d'une des boutiques du sous-sol ?

En fait, Julien n'a jamais su comment aborder de but en blanc une inconnue, i! a toujours chassé dans son milieu, à l'université, au ministère, dans la faune des speakerines du canal météo. Alors il se tait et regarde son invitée dans les yeux, les mains sur les genoux. Marie-Laure lui rend son regard avec une certaine impatience.

« Vous n'avez rien d'autre à me dire ? » s'inquiète, au bout d'un moment, la Beauté. Julien se contente de bafouiller. « Vous êtes canadien ? » demande-t-elle, intriguée par son accent, vous venez du froid ? »

« Julien le pingouin ! » entend-il dans sa tête.

Le temps s'écoule. Marie-Laure sourit de toutes ses dents, elle déguste son café à petites gorgées, les dragueurs français l'ont habituée à plus de baratin, sa période de repos s'épuise sans que le Canadien lui ait proposé quoi que ce soit. Elle aurait bien aimé un cinéma, il n'y en avait pas au village de son père, elle a toujours adoré sortir, il aurait pu lui offrir d'aller voir un film américain, le Canada c'est l'Amérique, non ? Elle serait allée danser aussi, ce garçon lui plaît bien, mais il est trop timide pour une Parisienne comme elle, et que fait-il dans la vie ? « J'écris un roman », dit Julien en rougissant.

« Et moi je protège des chefs-d'œuvre », réplique-t-elle en se levant. « Vous partez déjà ? On se reverra ? » lance Julien qui ne veut pas croire que le temps est écoulé. « Quand vous reviendrez au Louvre ! » répond la gardienne qui surveille sa croupe en passant entre les tables, agitant une main au-dessus de sa tête. Et Julien reste assis, forcément, c'est la posture naturelle de l'écrivain à la recherche de la Beauté.

Le graffiti

Paris, le 8 février

Monsieur le Maire,

Je séjourne dans votre ville depuis plusieurs semaines et j'espère y demeurer jusqu'à la fin de la rédaction d'un roman, auquel je travaille avec acharnement. Mais je ne souhaite pas vous entretenir de mes ambitions littéraires. Je veux plus simplement vous signaler un cas de persécution que la police refuse de considérer. La semaine dernière, je me suis présenté à la Préfecture pour dénoncer un taggeur (j'utilise le mot qui a cours en France, même si je préfère *graffiteur*, plus conforme à la réalité) qui, pour continuer dans la langue du lieu, *me cherche*.

Tous les matins, devant mon bâtiment, je retrouve le même gribouillage : une lune au milieu de laquelle sont tracées mes initiales, JM. Je sais que de nombreux sociologues français considèrent ces dessins comme des œuvres d'art – preuve que la créativité court les rues –, mais vous me permettrez de différer d'opinion. Le tout est tracé à la peinture fluo, quasi impossible à effacer ou à maquiller, d'autant plus qu'il s'agit d'un mur recouvert de crépi.

Pour ajouter l'opprobre à l'insulte, le policier auquel je me suis plaint a menacé de me mettre à l'amende parce que j'ai essayé de faire œuvre utile avec une petite bombe pour effacer le tout. Il affirme que c'est la tâche des responsables municipaux et que seule la Propreté de Paris doit voir à ces choses. Je viens donc vous demander d'insister pour que cessent ces vexations.

Julien avait signé la lettre en assurant le maire de ses plus respectueux sentiments. Trois semaines plus tard, il recevait une réponse.

À l'attention de Mme Julie Makoscy

Madame,
Nous avons bien reçu votre demande, mais vous comprendrez que nous dépendons, en tant qu'arrondissement, du maire de Paris qui, pour de mesquines raisons partisanes, a diminué nos budgets

d'entretien et de police. Cet édile croit que les palmiers ont plus d'importance que la lutte contre la détérioration des quartiers historiques. Nous vous prions donc de nous excuser de ne pouvoir faire pression sur l'administration policière. Soyez néanmoins assurée, madame Makoscy, de l'expression de notre entière considération.

Julien fut étonné d'apprendre que l'arrondissement et la Mairie de Paris discutaient de décoration urbaine, mais le patron du café, auprès duquel il s'informait souvent des mœurs des indigènes, lui confirma que chaque été la Ville répandait des tonnes de sable sur les bords de Seine pour offrir aux Parisiens une plage sur les pavés et qu'elle y transportait d'énormes palmiers comme ceux que l'on trouve à Nice ou derrière le Sénat. « La ville est à gauche, l'arrondissement à droite, votre taggeur ne les intéresse pas », ajouta le cafetier à Julien qui s'était senti insulté qu'on lui réponde aussi cavalièrement, sans même orthographier correctement son nom. Le patron essaya de lui faire comprendre qu'il avait été privilégié en sa qualité d'étranger : « Vous avez bien de la chance qu'on vous ait répondu. Pour le reste, il n'y a pas à s'étonner, la lettre a certainement été écrite par une secrétaire, mais voyez : elle est signée de la main du maire. »

Julien n'osa plus toucher aux graffitis qui peu à peu recouvrirent le mur tout entier; il se sentait de plus en plus persécuté par le mystérieux individu. Était-ce un adolescent boutonneux ou un chômeur en colère? Pourquoi le visait-on, lui qui ne connaissait personne dans cette ville et n'oserait faire de mal à une mouche? Le cliché le fit sourire, il y a peu de mouches à Paris l'hiver. Mais cette lune que dessinait le tortionnaire ressemblait de plus en plus à l'œil de Dieu poursuivant Caïn.

Dix jours plus tard, Julien ne put s'empêcher de récidiver. Son travail littéraire était perturbé. Il n'avait qu'une idée: faire arrêter le malfaisant, mettre fin à cette délinquance. Il prit de nouveau la plume:

Monsieur le Maire,
Vous m'avez couvert de ridicule en vous adressant à moi comme à une femme. Mon nom est Julien Mackay, et non pas Julie Makoscy. Vous ne pouvez vous débarrasser de moi de cette façon. Je vous écris encore une fois pour me plaindre de la persécution évidente à mon encontre. Puisque ni vous, ni la police n'acceptez d'intervenir, je vous préviens que d'ici à la fin de semaine (je sais que vous dites week-end) je me ferai justice moi-même.

112

Les trois premiers matins, Julien fit le pied de grue, caché dans l'ombre d'une porte cochère. Il dormait tôt et faisait le guet dès cinq heures. C'est à l'aube de la quatrième veille qu'il vit une silhouette s'approcher du mur et entreprendre de dessiner avec un geste assuré la lune qui l'inquiétait tant. Julien s'avança vers le taggeur sur la pointe des pieds. Il empoigna l'individu par les épaules, lui saisit le bras qui tendait la canette d'aérosol, lui tordit le coude derrière le dos et découvrit le visage apeuré d'un enfant d'une dizaine d'années qui se mit à crier et à se débattre comme un veau à l'abattoir.

« Où habites-tu ? Je te ramène chez tes parents ! » Il n'eut qu'à tordre un peu plus fort le bras fragile du garçonnet pour obtenir une adresse toute proche, rue de Vaugirard. Julien traîna le graffiteur jusqu'à l'entrée d'un immeuble cossu dont les poignées de porte en cuivre brillaient sur un bois d'un bleu profond. L'enfant composa le code de sa main libre et tous deux s'engouffrèrent dans un hall décoré de statues de marbre et de frises dorées. Un ascenseur aux parois de cuir rouge les déposa sur le palier du troisième étage qui donnait sur deux portes lambrissées. L'une d'elles s'ouvrit quand Julien sonna. Il avait eu le temps de préparer sa diatribe.

« Madame ! dit-il sur un ton sec à une femme éberluée, vêtue d'une robe d'intérieur satinée, je vous ramène votre fils ! J'aurais pu le traîner au poste de police.

Il vagabonde et trace sur le mur, en face de mon immeuble, des dessins qui me dérangent. Cet enfant a un sérieux problème de comportement, permettez que j'entre, je souhaite en discuter avec vous. »

L'enfant ne disait mot, ne pleurait plus, ne geignait plus, ne s'agitait plus, se contentant de regarder Julien avec mépris. Puis il lâcha : « Vous pouvez raconter ce que vous voulez, c'est la bonne, elle ne comprend pas le français ! »

« Et tes parents ? » fit Julien.

« Ils sont partis à Marrakech, vous me faites mal au bras. »

« Pourquoi dessines-tu cette lune avec mes initiales depuis des semaines devant chez moi ? »

« Parce que ce sont *mes* initiales, et quand j'ai vu qu'un con effaçait mon tag, je me suis dit que je réussirais à le faire chier ! C'était vous ? »

« C'était moi. »

Julien relâcha l'enfant qui se frotta vigoureusement la main et le bras. Il présentait un visage ouvert, avec une coupe de cheveux comme on en voit aux princes d'Angleterre. Habillé de tweed, il regardait Julien comme s'ils n'étaient pas de la même classe.

« Alors comment te nommes-tu ? »

« Jan-Marcus », fit le jeune.

« Et la lune ? »

« Ce n'est pas une lune, c'est un cercle magique. Mais vous ne pouvez pas comprendre ! »

Julien regarda le garçon dans les yeux : « Je sais, tu veux parler du cercle familial. » L'enfant haussa les épaules. Julien tourna le dos et s'enfuit presque, se demandant comment il avait pu se sentir à ce point persécuté par un simple signe de détresse, tracé sur un mur de la ville.

Que j'ai horreur des hommes de lettres ! On n'est pas sur terre pour pondre des livres et qu'il est difficile d'écrire sans faste, simplement, vrai. Comme on vit. Et qu'il est difficile de vivre !

BLAISE CENDRARS

Dîner en ville

« J'aimerais, me dit Mme Fabrel à qui je venais de remettre mon mois, vous inviter à dîner avec quelques amis ce soir, êtes-vous libre ? » Libre ? Les miracles existent, je suis à Paris depuis quatre mois et c'est ma première invitation à dîner. « Vous êtes écrivain, mes amis seront ravis de vous rencontrer. »

Ils avaient choisi de manger à la terrasse d'un café, malgré le bruit venant du boulevard Raspail, sous des chaufferettes électriques incandescentes. La courbure des toits se découpait dans un ciel violet strié de nuages orangés.

Je me faisais tout petit, la conversation était à la fois calme et décousue, les convives se connaissaient à peine, ils étaient de professions diverses, des gens de lettres, un psychanalyste, un marchand de tableaux, et un improbable militaire en uniforme, un des responsables de la frappe nucléaire de l'OTAN, qui ne buvait que de l'eau.

Nous avions calé la table, légèrement bancale, avec une boîte d'allumettes, sous le pied du côté gauche où se tenait une femme dans la trentaine, cheveux noirs et rébarbatifs, qui ne cessait de répéter d'un ton péremptoire « puisque je vous le dis ! » avant de céder à un rire nerveux qu'elle rattrapait en se mouchant.

« Mais qu'est-ce que tu affirmes, Jacinthe, que le colonel refuse de croire ? » demanda le marchand de tableaux, sentant peut-être la bonne affaire.

Jacinthe respira profondément, repoussa de ses deux mains la table, la boîte d'allumettes glissa, le verre d'eau du colonel faillit se renverser, le militaire le retint, des rires fusèrent, le garçon s'approcha, dévissa le pied trop court, et Jacinthe reprit ses affirmations avec un nouvel équilibre.

« Je disais au colonel que les systèmes juridiques sont souvent à l'origine des genres romanesques nationaux… » Même ceux qui étaient au bout de la table se penchèrent vers Jacinthe qui avait enfin réussi à retenir l'attention de tous. Qu'allait-elle nous raconter ? « On sait par exemple que le roman victorien existe, dans sa forme idéale et splendide, en Angleterre, parce que les lois de l'héritage inégal, à cette époque, créaient des injustices et des drames propres à nourrir ce genre de récit. En France, par contre, les règles juridiques donnaient naissance aux personnages balzaciens. »

Je n'étais pas seulement invité à un dîner en ville, mais à un étalage d'érudition. Jacinthe expliqua que les riches gentlemen de Londres laissaient leur fortune au fils aîné, le cadet partait s'enrichir en Inde et les filles, pauvresses de bonnes familles, s'en allaient à la chasse au mari qui saurait les entretenir. Les mariages d'argent menaient à des amours coupables.

« Les libertins butinaient, les épouses se languissaient aux côtés de maris vieillissants, les jeunes filles se jetaient du haut des falaises, les garçons mouraient sous les griffes d'un tigre du Bengale, le château familial servait de décor au roman et parfois lui donnait son titre. » L'hypothèse était lumineuse. En France, l'égalitarisme ne favorisait pas le roman. Ce que les personnages voulaient en héritage, c'était Paris, c'était accéder à une classe sociale supérieure, c'était prendre le pouvoir. La discussion continua et les titres d'œuvres célèbres fusèrent.

«Vous avez peut-être raison, dit le colonel, mais je suis mauvais juge. Je ne lis que des romans d'espionnage américains! Devant le bouton rouge, je n'ai pas la tête aux histoires d'amour. Mais dites-moi, monsieur Mackay, la théorie de Jacinthe tient-elle le coup au Canada?»

C'était le moment de justifier ma présence à table, du regard Mme Fabrel m'encourageait à répondre. Que pouvais-je expliquer? Que jadis les agriculteurs canadiens-français *se donnaient* au fils le plus doué pour les travaux des champs qui, en échange de la terre, assurait gîte et couvert à ses vieux parents? Les temps avaient changé avec l'urbanisation. Je connaissais mieux la météorologie que les études littéraires. Je me sentais mis à nu. J'improvisai.

«Il n'y a ni règle ni impôt, l'héritage au Canada est un choix tout à fait libre, dis-je, les structures romanesques sont ouvertes.» Jacinthe prit un air inquiet, ses théories n'étaient-elles valables qu'en Europe? «Vous écrivez un roman en ce moment, disiez-vous?» Elle me fixait avec insistance. «Oui, mais mon personnage est américain et son problème est étrange: il cherche à se départir d'un héritage qui lui est imposé. Je ne sais pas encore comment se terminera son aventure!»

« J'en conclus, dit le colonel en se levant de table, que tout romancier devrait d'abord avoir fait des études de droit ! »

Sur ce bon mot, l'assemblée cosmopolite cultivée, qui avait devisé de l'avenir du monde, de la fin de la peinture de chevalet, du prochain pays à visiter aux vacances de Pâques, des rapports entre la loi et la fiction, se dispersa, laissant Jacinthe en jachère, qui cherchait un homme comme dans les romans victoriens sûrement, mais elle était déjà trop cultivée pour moi.

L'impasse

Quand il ouvrit l'annuaire téléphonique de Paris et parcourut la section des maisons d'édition, Julien fut sidéré. Des dizaines de maisons, dont plusieurs célèbres, s'affichaient en toute simplicité sur le papier jaunâtre. À laquelle s'adresser pour être publié ? Il n'avait pas encore terminé son roman, mais il se sentait bien en selle et commençait à se demander s'il n'aurait pas intérêt à prendre conseil. Comment choisir ?

Il commença par les noms les plus connus, Gallimard, Laffont, Le Seuil, Minuit. Une téléphoniste lui demandait immanquablement à qui il désirait parler. « À l'éditeur », répondait tout aussi immanquablement Julien qui se voyait répliquer : « De quelle collection ? » Julien ne pensait pas à une collection particulière, il ne voulait que parler à un conseiller. « Et qui dois-je annoncer ? » Son nom n'éveillait aucun écho, on lui suggérait d'écrire au directeur littéraire qui ferait suivre. Julien avait des doutes, si on refusait de lui parler au téléphone, sa lettre irait certainement au fond d'une corbeille.

Dans un coin de la troisième page, une petite annonce attrapa son œil. Une maison cherchait de nouveaux auteurs et sollicitait des manuscrits. « Voilà ma chance ! » pensa-t-il, et il choisit de se rendre aux éditions Hélios sans rendez-vous.

Le 12 de l'impasse des Régents était un immeuble vétuste. Au bout d'un corridor humide, Julien rencontra un escalier vermoulu et découvrit au troisième étage une affichette « Sonnez et entrez », ce qu'il fit.

Une jeune femme, l'air harassé, debout derrière un comptoir gris, dépouillait le courrier. À peine l'avait-il saluée poliment qu'elle l'apostropha : « Nous ne rendons pas les manuscrits, c'est la politique de la maison et de toute façon vous venez trop tard, je n'ouvre le courrier qu'une fois par semaine ! » Julien ne disant mot, la jeune femme, qui n'était pas aussi jeune qu'il l'avait cru au premier regard, ajouta avec hargne : « Je n'ai pas été payée depuis deux mois, voyez-vous, et le directeur, M. Kollès, est parti en Égypte sans donner signe de vie, et si vous croyez que les romans m'intéressent, vous vous trompez lourdement ! »

La secrétaire, tout en parlant, continuait à ouvrir des paquets ficelés, à déchirer des enveloppes empilées devant elle, à en retirer des manuscrits, à jeter un coup d'œil aux titres, à hausser les épaules. Cessant soudain son manège, elle alluma une cigarette et lui lança, mégot au bec :

« Vous n'avez aucune idée, monsieur, de l'ambition littéraire de ce peuple, c'est comme si pour exister vous deviez naître deux fois, la première à la maternité, la seconde lors de la publication de votre chef-d'œuvre personnel, de l'histoire complète de vos pratiques sexuelles, de votre saga familiale, de vos élucubrations intellectuelles. N'allez pas croire que M. Kollès lit les manuscrits ! Il envoie une lettre type, sollicite une bonne somme pour les frais d'impression, tire trois cents exemplaires qu'il demande de passer prendre à l'entrepôt, et *ils viennent !* »

Elle se teint les cheveux, se dit Julien, c'est ce qui m'a trompé. « Et qui vient ? » demanda-t-il pour faire plaisir à la dame. « Les écrivailleux ! les auteurs ! les vaniteux, les orgueilleux, les inquiets, les m'as-tu-vu ? les m'as-tu-lu ? les vous-avez-aimé ? les va-t-on-en-parler-dans-les-journaux ? les vais-je-passer-à-la-télé ? les va-t-on-m'inviter-à-la-radio ? Vous voulez m'aider à descendre tout ceci dans la cour ? À deux, ce sera plus vite fait. »

Alors Julien prit dans ses bras autant de manuscrits qu'il put, il les tenait comme une brassée de bois, la préposée s'empara du reste et lui intima l'ordre de la suivre. Le bac à ordures, au fond de la cour, était une énorme benne de métal comme on en voit parfois derrière les restaurants, et débordait déjà de manuscrits abandonnés. « Vous devez savoir que Kollès est parti avec la caisse. Je ne sais pas pourquoi je viens encore travailler, douze ans de ma vie pour ce fumier ! »

Tentant avec difficulté de refermer le couvercle de la benne, la secrétaire des éditions Hélios lâcha un soupir de soulagement. « Je ne suis pas la seule à être flouée ! Voilà, ils sont bien servis ! Vanité et compagnie ! » Puis, comme si elle voyait Julien pour la première fois : « Merci, et que puis-je faire pour vous, monsieur ? »

« Vous avez déjà fait beaucoup, madame, répondit Julien, c'est moi qui vous remercie. »

L'histoire

Ce n'était pas au programme, mais par miracle la pluie avait cédé la place à un ciel où se bousculaient des nuages qui laissaient à l'occasion des bouffées de soleil se rendre jusqu'aux bords de Seine où déambulait en flânant un Julien étrangement serein.

Il s'était même arrêté longuement devant la vitrine d'un marchand d'appareils électroniques pour regarder, sur un écran plat, un documentaire touristique : des Indiens du Brésil, à moitié nus, pêchaient de petits poissons frétillant dans une nasse, aux abords d'un lac endormi dans les joncs. La télévision sans télécommande est une torture. Peut-être pourrait-il louer un appareil à la semaine ? Il n'y aurait pas de mal, pensait-il, à tenter de comprendre les Français par leurs émissions populaires.

Pour l'instant, il se trouvait condamné à de brèves discussions avec des garçons de café et les autres personnes qu'il rencontrait étaient souvent, comme lui, des étrangers. D'ailleurs, à entendre les conversations téléphoniques que les gens tenaient à haute voix jusque dans les autobus, cette ville ressemblait parfois à une maison d'aliénés. Comment distinguer aujourd'hui les fous qui parlent seuls des citoyens connectés ? Et suis-je sain d'esprit moi-même ?

La question resta en suspens car, passant de la rue à la Cour carrée du Louvre, Julien se retrouva, pour la première fois de sa vie, face à une guillotine grandeur nature abandonnée sur les pavés, son énorme couperet retenu en l'air par un câble tressé. Il comprit que les techniciens de la télévision, qui l'avaient traînée là comme élément de décor, étaient partis déjeuner. Un gardien assis sur une boîte en métal fumait distraitement. Julien lui demanda la permission d'examiner l'appareil de près.

« Les mains dans vos poches, ne touchez à rien, ce n'est pas un coupe-cigare, c'est la propriété des Monuments nationaux ! »

Julien en fit lentement le tour, admirant la simplicité du système, la qualité du bois des montants, l'orifice amovible pour les nuques, la dalle pour l'écoulement du sang, le panier d'osier brun. Le génie français avait trouvé une façon simple de mettre fin aux exactions, la réponse aux nobles et aux princes avait été radicale, rationnelle, sans retour.

Il imagina un navire quittant Dieppe en 1789 avec une guillotine à son bord, traversant l'Atlantique, remontant le Saint-Laurent jusqu'à Québec, pour venir rabattre le caquet des représentants du roi en Nouvelle-France, si celui-ci ne l'avait cédée à l'Angleterre trente ans plus tôt ! Il se dit que la véritable cassure historique n'était pas tant la victoire anglaise que la Révolution française, à laquelle les Canadiens avaient échappé : à preuve, ne vivaient-ils pas toujours en monarchie ?

« Et c'est pour quoi ce jouet ? » demanda Julien au gardien. « *Marie-Antoinette* en trois épisodes », lui répondit ce dernier, en écrasant consciencieusement sa cigarette du bout du pied.

Les techniciens revenaient et se remirent à l'ouvrage. Ils installèrent des rails pour la caméra, les électriciens tirèrent de longs fils noirs qu'ils branchèrent aux projecteurs. En quelques minutes, la place grouilla de personnages en perruque. Et Julien ? Il se sentait comme un étranger qui tombe dans une querelle de famille. « Mon histoire a bifurqué avant que le docteur Guillotin n'ait fait adopter cet élégant couperet par l'Assemblée nationale ! » dit-il au gardien qui ne comprit pas un traître mot de sa déclaration. Il y a ainsi, parfois, des difficultés à s'entendre entre cousins.

Le vent soulevait la poussière de la cour, Julien se colla au mur du fond et, pour la première fois depuis qu'il était en France, sentit un irrépressible désir de rentrer en Amérique.

Il s'agit peut-être de la question la plus importante de toute la modernité : qui suis-je pour écrire ? Qui sont les autres pour me lire ?

ENRIQUE VILA-MATAS

Ne le dites à personne

J'ai lu dans une nouvelle de Julio Cortázar (il avait quitté Buenos Aires pour s'établir à Paris) qu'il y a chaque jour plus de gens qui s'engouffrent dans le métro qu'il n'y en a qui en ressortent. Où sont passés ces usagers manquants ? Anne Hébert, je l'ai découvert à la Librairie du Québec, s'était posé la même question. Je n'ose plus descendre dans les couloirs de la bête qui serpente sous la cité comme un boa constrictor et qui digère les passagers.

Je sais aussi que l'on me surveille. Des inconnus sur mon passage se font des signes. Ils communiquent par talkies-walkies : « Voici Julien Mackay qui s'en va-t-en-ville, il ne parle plus à personne, égrène des mots comme des petits pois, ça ne tourne pas rond dans sa tête, à vous ! » J'ai d'abord cherché refuge dans les églises, mais le Christ en croix n'a rien de réconfortant, il est visiblement aux abois. Je suis allé dans les bibliothèques, mais les millions de livres sur les étagères dans leurs gaines de cuir aux pages dorées sur tranche forment un mur de silence terrible. J'ai cherché à travers la ville un lieu de paix, courant d'un arrondissement à l'autre, et je crois l'avoir enfin trouvé, au Jardin des Plantes, mais ne le dites à personne.

Il y a peu de rosiers en fleur dans ce jardin et l'hiver les plates-bandes ressemblent à des tombeaux. Les feuilles mortes, que l'on n'a pas ramassées, s'accumulent dans l'allée des platanes et s'effritent sous les baskets des jog-geurs qui passent en soufflant comme des locomotives. Ce n'est évidemment pas le moment d'aller lire aux pieds de Buffon qui, assis dans son fauteuil de pierre, sert de perchoir aux mouettes endormies par le froid.

J'ai trouvé mieux encore : je m'enferme dans la Grande Galerie de l'évolution du Muséum, je suis un *exhibit*. En entrant je contourne les squelettes des baleines pour me rendre à l'étage, je salue le serpent-fouet qui séduisit Ève et je remonte dans le temps. La banquette que j'ai choi-sie est située tout près du rhinocéros blanc. Je m'assieds, immobile, sans un clignement d'œil, sans un mouve-ment, comme si j'étais passé chez le taxidermiste. Les enfants défilent par grappes devant moi, à la remorque de leurs instituteurs, et ne me remarquent pas. Parfois un garçon plus agité que les autres vient me tirer l'oreille, mais le gardien s'empresse de crier : « On ne touche pas aux animaux ! »

La mise en scène est évidente et biblique, les paléontologues ont disposé en rangs, par tailles décroissantes, les éléphants, les girafes, les zèbres et cinquante gazelles aux panaches élégants qui attendent l'Arche de Noé. On voit qu'ils font la queue comme les Parisiens à la boulangerie. Des hyènes aux pintades, on sent la résignation : la vie est figée, calme, arrêtée, le navire du patriarche n'est pas près d'arriver. Nous l'attendons. Je suis parmi mes semblables, le jour de la création du monde. Je représente les hominidés au Jardin des Plantes.

Sur le coup de midi, quand la salle se vide pour le déjeuner, je discute avec mes semblables, mes frères. « Qui donc nous a créés ? » demande le buffle. « C'est l'homme, ose l'hippopotame, il nous a naturalisés après nous avoir enlevé la vie. Je n'ai plus dans les tripes que de la paille et sous la peau des fils de fer, mes yeux sont en verre et mon cul est bouché ! »

La question est grave. À dix-huit heures, je dois quitter les lieux en espérant qu'un soir on m'oublie, et que je puisse leur parler des problèmes de la création auxquels Dieu a certainement été confronté.

Dans nos domaines, on ne fait pas toujours ce que l'on veut. Le hasard joue aussi un rôle. Par exemple, au commencement, Dieu avait créé des anthropophages qui se dévoraient les uns les autres. Ce n'était pas ce qu'Il avait en tête, alors le Créateur leur a fait comprendre qu'ils devaient plutôt manger les animaux, les plus tendres évidemment, mais aussi les serpents qui, comme les mammifères, sont comestibles. Hélas, quelques individus n'ont pas entendu la voix de Dieu, et ces anthropophages ont, depuis, envahi le métropolitain de Paris.

C'est un écrivain qui l'a dit, ce serait donc vrai, même si ce n'est pas réel. Dieu est un écrivain, puisqu'Il existe grâce aux livres qu'Il a dictés. L'écrivain est-il divin ? J'ai de plus en plus de difficultés avec la réalité. Je suis en crise. Ce que j'écris m'échappe. Ne le dites à personne.

Le square

Une vieille dame, emmitouflée de gris, a entendu Julien, assis seul dans le square du Fer-à-Moulin, murmurer à voix basse :

« Je ne te demande pas de m'approuver, tout simplement de m'écouter ! D'abord, ne pourrais-tu pas cesser de danser le cha-cha-cha ? Ne pourrais-tu cesser de picorer, à droite et à gauche, tu n'arrêtes pas de bouger ! Arrête ! La question est simple : pourquoi est-ce que je désire tant être écrivain ? Et puis, que veut dire *être écrivain* ? Tu ne réponds pas ?

« Tu hoches la tête sans réfléchir, c'est épuisant à la fin ! Est-ce qu'on peut se lever un bon matin en se disant *je serai un saint* ? Est-ce plus ridicule qu'écrivain ? Je ne te parle pas du statut d'écrivain, ici en France, c'est une vieille histoire. Pas un seul de vos hommes politiques n'oserait aspirer aux plus hautes fonctions sans rédiger un livre, pas une seule de vos vedettes ne peut survivre sans publier une autobiographie.

« Et si je voulais *être* tout simplement, comme dans *être écrivain* point à la ligne. Tu n'as pas à faire les yeux ronds. Es-tu malade ? Tes pupilles sont un peu rouges d'ailleurs. Je t'accorde que cette ville se parcourt comme un manuel de littérature ancienne, rue Corneille, rue Racine, avenue Victor-Hugo, et je ne te parle pas des statues de Descartes, Molière, Balzac ou Diderot. C'est un face-à-face exigeant, comme de rencontrer mes cahiers, mes brouillons, mes notes, mes projets, sainte merde !

« Écoute, j'ai comme toi un collier au cou. Pire encore, que dirais-tu si je t'attachais un fil à la patte, que pourrais-tu faire, hein ? Tu tournerais en rond autour du piquet sur la pelouse. Dis donc, est-ce à toi que je parle ou à ton semblable ? Où es-tu passé ? Vous n'êtes qu'une bande de clowns, de clones, un peu plus de gris chez toi, un peu plus de gras chez celui-là, des plumes, des plumes !

« J'étais un célibataire heureux, j'avais un emploi stable, ma copine affichait le plus beau sourire de toute la télévision, mes collègues disaient avoir une haute opinion de moi, quoi ? Regarde-moi quand je te parle ! Pas la peine de roucouler, tu te moques ? Je ne voulais plus de patron, voilà, eh bien tu me croiras si tu veux, ce métier d'écrivain est plus contraignant qu'un emploi de fonctionnaire.

« En fait j'ai énormément de difficultés avec mon personnage, tu sais, l'Américain. Il a tendance à s'imposer, il est brusque, et s'il évoque son passé, c'est pour affirmer que Jack Kerouac habitait à côté de chez ses parents ! Il prétend même que Kerouac est venu régulièrement le garder quand il était bébé... Alors il me parle de la liberté, dont celle de changer de nom à sa guise. Boileau ou Drinkwater, Boisvert ou Greenwood, il s'en tape, tu penses.

« Je ne sais pas pourquoi je prends la peine de te raconter. Tu n'es qu'un volatile miteux qui n'attend que de la mie de pain, tu es moche, tes yeux pleurent comme ceux des alcoolos, tu n'es qu'un sans domicile fixe et tu te crois libre comme l'air. Je vais te dire, mon beau, quand j'ai eu douze ans mon père a installé sur le balcon une volière pour tes cousins voyageurs auxquels je glissais des poèmes entre les pattes. Eux avaient de la classe ! Aujourd'hui que j'ai besoin de me confier, tu ne t'intéresses qu'aux croûtes qu'on te lance. Vous n'êtes que de sales petites bêtes, vous n'avez qu'une cervelle d'oiseau, j'aurais dû m'en douter ! »

Julien, a dit la dame, tournait le dos à la rue, il portait un grand manteau dont la capuche lui cachait le visage. En souriant elle a ajouté : « Il avait un peu l'air, lui-même, d'un biset bizarre. »

Le syndrome

Julien était donc venu à Paris pour l'inspiration. Les écrivains du monde entier, par générations entières, ont toujours cru que cette ville, en un tournemain, vous transformait en poète, et qu'on ne pouvait arpenter ses rues sans se prendre pour un écrivain. À quoi cela pouvait-il tenir ? Le mythe s'était construit à la cour du roi et tout écrivain français aspirait, depuis ce temps, à devenir membre de l'Académie, pour le prestige, le costume, les privilèges. La langue française magnifiée, il s'agissait de la bien servir.

Dans le quartier où il habitait, des centaines d'éditeurs étaient en concurrence, des milliers d'auteurs cherchaient la notoriété. Les statistiques les plus récentes, rapportées par *Le Monde*, avançaient le chiffre incroyable de 42 000 plumitifs qui espéraient que la Ville Lumière les transforme en génies littéraires. Julien se disait que si les peintres devaient vendre leurs œuvres dans les galeries de New York où 15 000 nouveaux artistes tentaient chaque année leur chance, les écrivains par contre pouvaient écrire n'importe où, au bout du monde, à Sainte-Adèle P.Q. comme au fond de l'Arkansas, alors pourquoi Paris ? Était-ce parce que les auteurs, ou ceux qui voulaient le devenir, s'y promenaient comme les aspirants banquiers déambulaient sur Wall Street ?

Chaque fois que Julien découvrait, sur le mur d'une maison, une plaque en l'honneur d'un écrivain célèbre, il se sentait justifié dans son choix. Ici, en mars 1952, Blaise Cendrars avait habité cet hôtel ; là, c'était l'immeuble d'André Gide, l'auteur des *Nourritures terrestres* ; plus loin Rimbaud et Verlaine, disait-on, venaient boire leur absinthe et se bagarrer. Était-ce cela qu'il recherchait ? Des modèles ? La fréquentation des vieilles pierres, des parcs centenaires, des carrefours où flottait l'odeur des marrons grillés, la vue de tours anciennes, de passages étroits, d'églises romanes, était-ce cela la source de l'inspiration ? Diderot, Hugo, Lamartine, Rilke, Eluard, Villon, Baudelaire avaient écrit dans ces cafés, fumé à ces terrasses. En tendant l'oreille, rue Saint-Jacques, ne pouvait-il entendre les pas sourds des pèlerins partant pour Compostelle ? Ou était-ce le métro qui grondait sous le boulevard Saint-Germain ?

Julien, en arrivant, avait fait confiance au beaujolais nouveau, mais ce n'était pas la meilleure année, il n'avait récolté que des coliques. Les verres de blanc avalés au café l'étourdissaient. Le prix modeste du vin l'incitait par ailleurs à vider une bouteille dès qu'elle était débouchée. Et, depuis quelque temps, on le voyait dès le matin lire les journaux en sirotant des bières belges, seul au fond d'un bar. Car pourquoi attendre l'inspiration quand on peut trouver dans les quotidiens des faits divers plus étonnants les uns que les autres ? Des généticiens cultivaient les cellules du cerveau dans des crânes de souris, ils avaient modifié les fraises avec des gènes d'ours polaire pour prévenir le gel, un amant jaloux conservait le cœur de sa dulcinée chez lui, dans son congélateur !

Il n'était pas persuadé d'avoir fait le bon choix, son sujet américain respirait mal dans cette ville. Son personnage était plus intéressé au Nouveau Monde qu'à l'Ancien, et Paris n'était pas une jeunette ! Julien commençait à se demander si le nœud de son roman n'était tout simplement pas une métaphore, le récit caché de son brusque départ du ministère. Était-ce Gerry Drinkwater ou Julien Mackay qui souhaitait se noyer dans le melting-pot de la Nouvelle-Angleterre ? Et d'où lui venait ce patronyme de Mackay ? D'un mercenaire écossais qui avait fait le coup de feu contre les Iroquois ? Comme il était difficile de faire face à ce qui se cachait derrière les noms, les mots, les phrases, l'écriture.

Il s'était procuré chez Gibert Jeune un nouveau bloc de papier ; il avait demandé une *tablette* de papier, mais la vendeuse lui avait répliqué que les tablettes étaient au mur. « Et celles sur lesquelles écrivaient les Égyptiens alors ? » songea-t-il en payant son bloc.

Julien avait cherché l'inspiration pendant des semaines, se demandant pourquoi son désir d'écrire se transformait en cauchemar, ses efforts en grimaces ridicules, ses phrases en tournures trop lourdes. Ce soir-là il sortit du tiroir où il rangeait ses couverts une assiette ébréchée qu'il plaça au beau milieu de sa table de travail. Se saisissant d'une feuille de son nouveau bloc, il en fit une boule qu'il déposa dans l'assiette. Il contempla sa mise en scène, alla chercher des allumettes à côté du petit réchaud à gaz dont il se servait pour ses repas, alluma l'une d'entre elles et mit le feu à la boule de papier qui s'embrasa en éclairant la chambre. Julien se sentit exalté par la lumière et se mit à nourrir les flammes avec le reste du bloc. De plus en plus rapidement.

Le feu s'étendit aux rideaux d'acrylique tout proches, puis au papier peint qui était en partie décollé du mur, enfin à la moquette brune qui dégagea une fumée noire, lourde, épaisse, étouffant net toute inspiration. En fait, à peine pouvait-il tout simplement respirer.

Alertés par un voisin, les sapeurs-pompiers éteignirent les flammes en quelques minutes pendant que l'on descendait en civière un auteur inquiet : allait-on inscrire sur l'immeuble *Ici Julien Mackay échappa de peu à la mort* ? ou bien *Le pompier Gustave Bertholet sauva par un bouche-à-bouche un écrivain canadien* ? Dans l'ambulance Julien ferma les yeux un sourire aux lèvres, émoustillé par le chant de la sirène dont il imaginait qu'il envahissait la ville, songeant aux automobilistes qui le laissaient passer par déférence, aux piétons inquiets qui regardaient filer à toute allure un écrivain dans le haut lieu de la littérature. Il avait senti ce soir-là, raconta-t-il au médecin qui l'examinait, non pas un appel de la mort, « mais le profond désir que Paris s'occupât enfin de lui ».

Cet imparfait du subjonctif alerta le praticien.

« Pas besoin d'être grand clerc pour deviner que ce garçon souffre du syndrome du Panthéon, glissa le psychiatre à sa secrétaire, nous le gardons ici ce soir, prévoyez une rencontre dans mon cabinet demain. »

Ce médecin, professionnel de l'âme, avait assisté l'année précédente à la conférence d'un savant confrère montréalais à l'auberge du lac Saccacomie, suivie d'une expédition en traîneaux à chiens tout à fait inoubliable. Il avait appris que le choc culturel de Paris, la beauté du lieu, la subtilité des codes sociaux, les pièges nombreux d'une langue arrogante, les rivalités du milieu littéraire, et surtout la solitude conduisaient certains de ses concitoyens, selon le psychanalyste québécois, à « péter les plombs ».

Le « Panthéon » devenait, en un sens, hors de portée. Ce temple de l'esprit leur était fermé, comme le désir de percer à Paris leur semblait soudain irréalisable. Prenant conscience qu'ils couraient à l'échec, certains s'enfermaient dans leur chambre d'hôtel, on avait même documenté des cas d'aphasie dans la génération d'avant-guerre. Plus récemment, le syndrome se manifestait par une propension à brandir, à tout bout de champ, la fleur de lys et à discourir à voix haute dans un langage archaïque, emprunté au XVIIIe siècle.

Le confrère québécois trouvait génialement symbolique la fontaine érigée place du Québec, à Saint-Germain-des-Prés, dont les blocs de bronze représentaient l'embâcle printanier des glaces dans les rivières. « Le plus souvent les victimes du syndrome du Panthéon subissent, avait-il expliqué, une sorte de débâcle psychique, justement, qui peut les amener à oser des gestes dangereux pour eux-mêmes ou pour les autres. » Le spécialiste montréalais recommandait de renvoyer à la maison, le plus rapidement possible, ces victimes inconscientes afin qu'elles soignent leur mélancolie.

« Vous avez des amis à Paris ? » s'enquit le médecin lors de la visite du lendemain. « Pas vraiment, répondit Julien, je ne suis ici que depuis cinq mois, vous comprenez, et j'ai surtout beaucoup travaillé à mon projet. – Quel projet ? » Julien ne voulut pas répondre. « Je vous fais une ordonnance, des antidépresseurs, et vous rentrez chez vous. – Chez moi ? – Vous devez bien avoir une cabane au Canada ! Ma secrétaire va réserver votre place d'avion. »

Julien n'était pas certain d'avoir compris les explications du médecin. Ce dont il était sûr, cependant, c'est que ce roman resterait sur la glace. « Vingt fois sur le métier, disait Boileau ? J'ai fait plus encore pour Drinkwater, suffit ! » Il se rendit à son studio, mit ses vêtements dans la valise bleue, abandonna l'autre avec ses livres et ses manuscrits. La pièce dégageait des odeurs de feu de forêt. La vitre du vasistas noircie par les flammes avait été remplacée par un carton qui bloquait toute lumière.

En attendant son départ, Julien choisit, à Montparnasse, un hôtel Ramada. Un ascenseur silencieux le mena à l'étage d'une vaste chambre lumineuse, dotée d'un lit de reine au matelas à la fois ferme et douillet. Les meubles contemporains, les faux Dufy aux murs et la salle de bains plus grande que le studio de Mme Fabrel, lui parurent le portique du paradis. Sous la douche, dont l'eau chaude giclait généreusement, il se sentit revivre ; quand il ferma le robinet, son reflet dans la glace embuée lui renvoya une image difficile à préciser. Il se croyait devenir flou.

Les cinémas, face à la tour Montparnasse, brillaient de tous leurs néons comme pour imiter Times Square. Au loin, vers la montagne Sainte-Geneviève, le dôme éclairé du Panthéon perçait la nuit de Paris. Le météorologue s'endormit doucement ce soir-là, les antidépresseurs y étaient pour quelque chose, mais le confort valait bien la littérature. Julien était déjà en Amérique.

Du même auteur

Carton-pâte
poésie
Seghers, 1956

Les Pavés secs
poésie
Beauchemin, 1958

C'est la chaude loi des hommes
poésie
Hexagone, 1960

La Grande Muraille de Chine
poésie
en collaboration avec John Colombo
Éditions du Jour, 1969

L'Aquarium
roman
Seuil, 1962
Boréal, « Boréal compact », 1989

Le Couteau sur la table
roman
Seuil, 1965
Boréal, 1995
et « Boréal compact », 1989

D'amour P.Q.
roman
Seuil-HMH, 1972
et « Points-Roman », n° R445

L'Interview
théâtre
en collaboration avec Pierre Turgeon
Leméac, 1973

Le Réformiste
essai
Quinze, 1975
Boréal, 1994

L'Isle au Dragon
roman
Seuil, 1976
Boréal, « Boréal compact », 1996

Salut Galarneau !
roman
Seuil, 1979
et « Points », n° P92

Les Têtes à Papineau
roman
Seuil, 1981
Boréal, « Boréal compact », 1991

Le Murmure marchand
essai
Boréal, 1984
et « Boréal compact », 1989

Souvenirs shop
poésie
Hexagone, 1985

Une histoire américaine
roman
Seuil, 1986
et « Points » n° 305

Plamondon, un cœur de rocker
essai
Éditions de l'Homme, 1988

L'Écran du bonheur
essai
Boréal, 1990
et « Boréal compact », 1995

L'Écrivain de province
journal
Seuil, 1991

Le Temps des Galarneau
roman
Seuil, 1993
« Boréal compact », 2002

Une leçon de chasse
roman jeunesse
Boréal, 1997

Opération Rimbaud
roman
Seuil, 1998

Le Buffet, dialogue sur le Québec à l'an 2000
en collaboration avec Richard Martineau
Boréal, 1998

Mes petites fesses
album
Les 400 coups, 2003

Bizarres les baisers
album
Les 400 coups, 2006

RÉALISATION : PAO ÉDITIONS DU SEUIL
IMPRESSION : S. N. FIRMIN-DIDOT AU MESNIL-SUR-L'ESTRÉE
DÉPÔT LÉGAL : SEPTEMBRE 2006. N° 88516 (80590)
IMPRIMÉ EN FRANCE